コンセプトのつくりかた

「つくる」を考える方法

玉樹真一郎

ダイヤモンド社

コンセプト。
この5文字の言葉から、
あなたは何を想像しますか？

広告やコンサルティング業界の人が
振りかざす、小難しい道具？
何やらクリエイターに
必要なアイデアとか発想とか？

……実は違います。
私たち誰もが、
何かをするとき、生み出すときに
最初に考えること。
それが「コンセプト」です。

コンセプト。

それは、
紙と鉛筆と付箋と大きな机。
そして一緒に考える
「仲間」がいれば、
誰でも作ることができるものです。

ひとたび
コンセプトができ上がれば、
「どんなデザインにすべきか」
「誰に向けて作ればいいのか」
「どんなふうに実行すればいいのか」
そうした色々なことが、
自然と決まってきます。

デザイナーがいなくても、です。
コンセプトに導かれていくのです。

素晴らしいコンセプトが生み出せたら、
作る人、売る人、使う人、
皆が同じ「しあわせ」を共有できます。

もちろん、あなた自身も。

新しい価値が生まれ、
世界は一夜にして
より良いものに「かわる」んです。

コンセプトは、いろんな人を助けてくれます。
ものづくりの現場にいる人はもちろん、
起業を考えている人、
予算はあるけど何をすればいいかわからない
地方自治体やＮＰＯの担当者、
学園祭やサークルのイベントを考える大学生……。

就活や恋愛にも、コンセプトの考え方を
取り入れれば、うまくいくでしょう。

アイデア出しが苦手な人でも、心配いりません。
「小学校の授業でもできそう！」
そう言ってくれる人もいました。

世の中に必要な何か。
みんなに伝わる何か。
そして、あなたが
しあわせになるための、何か。

この本で、一緒に「何か」を探しに行きましょう。
読み終えたときには、
きっと「かわる」自信と勇気を
実感するはずです。

改めて……

ようこそコンセプトの世界へ！

一緒に

めくるめく「冒険の旅」を

楽しみましょう。

それでは出発です。

第1部　おりていく　コンセプトとは何か

第2部　のぼっていく　コンセプトをつくる具体的なプロセス

第3部　すすんでいく　コンセプトをどう活用するか

まえがき

突然ですが、2006年に発売になり、全世界での総販売台数が9500万台を超え（＊1）、会社の株価の時価総額が2倍以上の10兆円にまで跳ね上がり（＊2）、一夜にしてゲーム機の世界を塗り替えたメガヒット商品をご存じでしょうか？

そう、家庭用ゲーム機「Wii」です。

ご家族やお友達と一緒に「Wii」のゲームで盛り上がったことがあるという方もいらっしゃるのではないでしょうか。

私は、任天堂という会社でその「Wii」の企画・開発に携わっていました。現在は青森県八戸市にUターンし、地元企業・個人事業主・官公庁・教育施設・NPOといった様々な方々とお仕事をしながら暮らしています。

任天堂では、本当に数多くの学びを得ました。私が会社を100％プライベートな判断で辞めることになる最後の日――「会社を辞めた後もずっと、僕は任天堂のファンです」と口にしたときの感情は、今でも私の胸にあたたかく残っています。

とりわけ「Ｗｉｉ」という家庭用ゲーム機を世の中に生み出すという経験は、**私の人生自体を大きく左右するものでした。**

「人生を左右した」という表現は使い古されたものですし、陳腐な響きに聞こえるかもしれませんが、本当にその通りなんです。

では、なぜ私が会社を辞めることになったのか？　シンプルにまとめると、こうです。

私は任天堂で「コンセプト」というものについて学んだ結果、私自身の「人生のコンセプト」について考えざるを得なくなり、その結果、会社を辞めるという結論に至った。

本書は、そんな「コンセプト」についての本です。

暴露本でもありませんし、ゲーム業界の人にだけに読んでほしい本でもありません。私がＷｉｉの企画・開発時に感じたことや経験したすべてを整理しながら、「コンセプト」というものについてまとめた本です。

いかにしてＷｉｉという商品は考え出されたのか？　という切り口で読んでいただくこともできますが、それはあくまできっかけにすぎません。

コンセプトとは、もっともっと大きなものです。

Ｗｉｉというゲーム機を作ることと、皆さんが何かを始めようとするすべてのこと。そのどちらにも、「コンセプト」という考え方を使うことができます。

たとえば、世界にイノベーションをもたらす商品やサービスを企画しようとしている人。新しい会社を立ち上げようとしている人。新しい事業やイベントを仕掛けようとしている人。組織のとるべき戦略を立案し、進むべき方向を見定めたい人。「何かアイデアない？」と上司に言われて困っている部下の人。

営利企業でなくても、ＮＰＯの立ち上げや、大学の学園祭やサークルのイベントを考えたい人。街興しや飲み会の幹事、就活など……。

コンセプトとは、あらゆるスタートアップの現場に立っている人のためのものです。

もっと言えば、コンセプトとはあらゆる活動の原点であり、誰も見たことのないものを生み出したいと願うすべての人が、最初に知っておかなければいけないものだ……そんなふうに考えています。


任天堂でものづくりというものを実地で学び経験したものは、単純に面白いゲーム・売れる商品・かっこいいサービスのようなものを企画する方法ではありませんでした。もっと心の深いところにつながるものだったのです。

自身の悩みや苦しみや挫折、喜びやしあわせや成長とも、根っこのところでつながっている、険しい冒険のようなものでした。

で、冒険の先にあったものは何かというと……。

世界と人々を「しあわせにするもの」、世の中に新しい「良さ」を作るものだったのです。


「ゲーム機という市場を作り、第一線でヒット作を世に送り出し続けている任天堂という会社には、きっと、社外の人間には絶対に知り得ない秘密があるに違いない。まるで魔法のような任天堂独自の秘密のノウハウがあるからこそ、革新的な製品を生み出せるんだ」

恥ずかしながら、任天堂に入社するまで私はそう信じていました。

しかし、そんな便利なものはなかったと今では考えています。

知ればすぐ応用できる究極の叡智、ひとつ食べるだけであらゆる問題と答えが見渡せる知恵の実なんて、そもそもありませんでした。

前職で知ったのは、ものづくりというものの生半可じゃない過酷さであり、「まだ見ぬ知恵」を探し続ける乾きのような感覚でした。

本書はその旅の様子を書き留めた、いわば冒険の書です。コンセプトの謎を解き明かすことがゴールです。コンセプトワークの、はじめの一歩からおわりまでを、1つずつ、丁寧にお伝えしたいと思います。

本書は、次のような構成になっています。

・おりていく：コンセプトを定義して、作る準備をする
・のぼっていく：コンセプトの作り方
・すすんでいく：コンセプトをどう活用するか

あなたが知的にこの世界を駆けめぐり、楽しみながら「世界を変えるコンセプト」を生み出すまでの道のりを、一緒にたどっていけたらと思います。
あなたと世の中の新しい「しあわせ」を、さっそく探しに行きましょう。

玉樹真一郎

（＊1）2012年3月現在
（＊2）2007年9月時点

第1部

おりていく

コンセプトとは何か

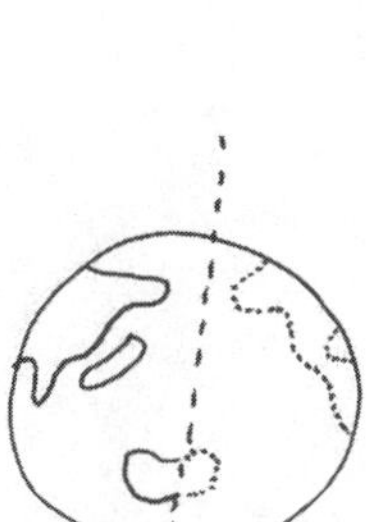

01 霧の中から：コンセプトとものづくり

まず「おりていく」の各章では、私が任天堂で学んだことを通してまとめた「コンセプトの正体」を、ひとつずつ順を追ってお話しします。階段を一段一段降りていくように、コンセプトというものの奥底へいっしょに入り込んで、その正体を確かめてみたいと思います。

私の話が唯一の答えというわけではありませんが、1つの答えとして、聞いていただければと思います。

さあ、いよいよ、コンセプトをめぐる冒険のはじまりです！

冒険の手始めに、1つ質問させてください。

Q. なぜ、あなたはこの本を読んでいるのでしょうか？

──「良いコンセプトを作りたいから」という答えが多いのではないでしょうか？　それとも、もっと具体的に「売れる商品を作りたいから」「みんなをあっと言わせるような面白いプロダクトを生み出したいから」「大規模プロジェクトを任されていて、どうしても成功させたいから」という理由もあるかもしれませんね。

いずれも共通している最終目標は、「良いもの」を生み出すということになりそうです。

コンセプト　↓　「良いもの」

こんなふうに私たちは考えているわけですね。コンセプトがあるからこそ、良いものが生まれるに違いない。そう考えるのが自然な流れです。

さて、ここからは**「良いもの」を作るという活動を「ものづくり」と呼ぶことにしましょう。**「もの」と言っても、手に取ることのできる物理的な形を持つ商品や作品から、形のないサービスや事業の設計まで、生産的な活動から生み出されるものすべてを指します。

「ものづくり」という活動についてはまだ議論していませんから、その中身はまったくわかりません。まるで霧の中です。けれど、もしその霧の中から「良いもの」がアウトプットされたとしたら、コンセプトはきっと「ものづくり」という霧の中のどこかに存在しているはずですよね。

つまり、コンセプトとは、「ものづくり」という活動の内側にあるもので、**「ものづくり」の構造がわかれば、同時にコンセプトの姿も明確に把握できる**ということになります。

となると、コンセプトというものの正体を明らかにするには、まずは「ものづくり」の周りを覆っている霧を晴らす必要がありそうです。

コンセプトをめぐる冒険は、ものづくりという霧の中からスタートします。

01
コンセプトとは

コンセプトは、ものづくりの中に存在している。

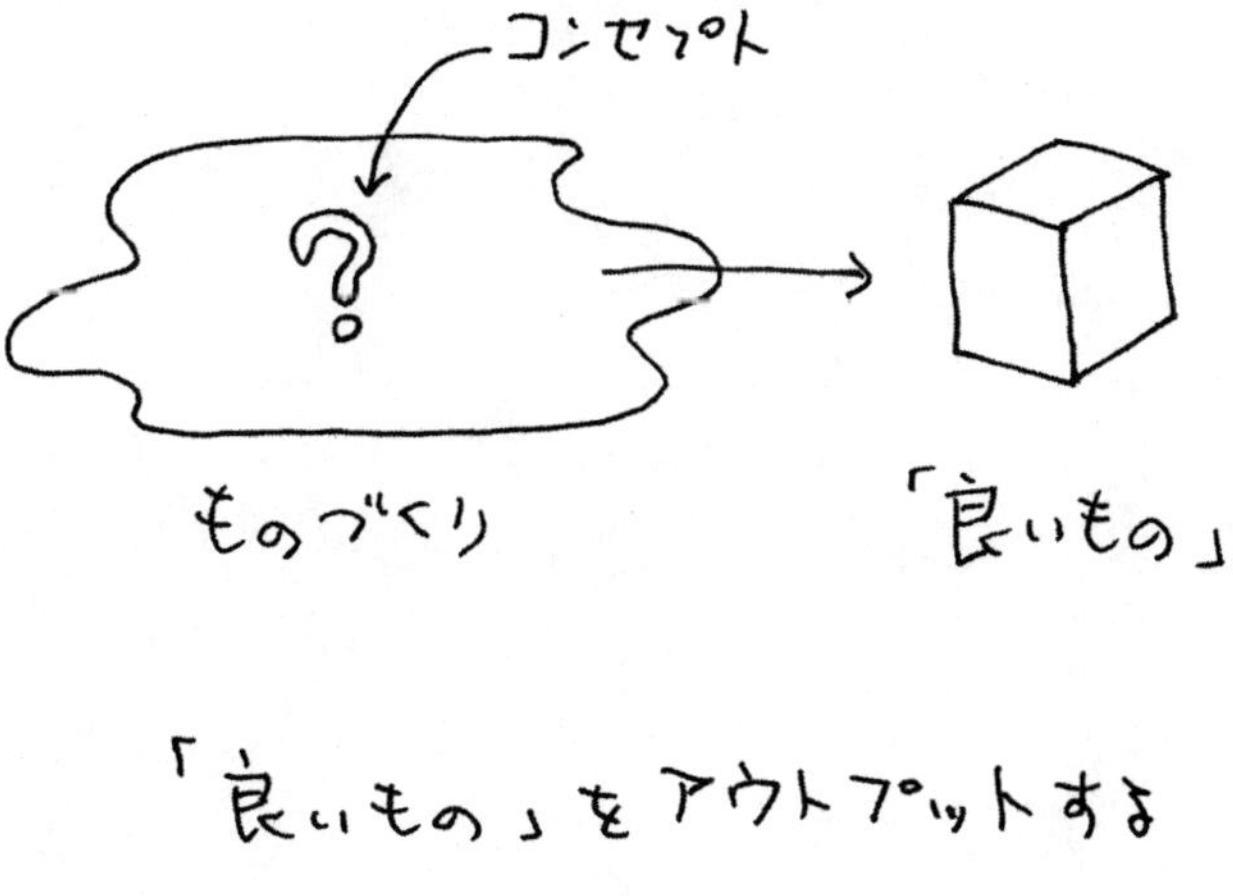
コンセプト
?
ものづくり
「良いもの」
「良いもの」をアウトプットする

02 勇者の登場 ‥ コンセプトのコンセプト

前節は、「ものづくり」のどこかにコンセプトが位置しているというお話でした。もう少し、この問題を掘り下げていきたいと思います。ここでまた質問です。

Q. あなたは、なぜ「良いもの」を作りたいのですか?

あまりに当たり前すぎる質問で、答えにくいかもしれません。

しかし、この問題を考えていくと、すべてのコンセプトに共通すべきもの、いわば「コンセプトのコンセプト」とも呼べる、最も重要な条件が浮かび上がってきます。

もしあなたが「良いもの」を生み出すことに成功したら、そのとき、あなたと世界には何が起こるでしょうか?

1. あなたが世界に向けて「良いもの」を作る
2. 世界に何か「良い変化」が起こる
3. 世界からあなたに「良い報酬」が届く
4. あなたに「良い変化」が起こる

ここでの「世界」とは、あなたの外側の世界を意味しています。つまり、**あなた以外のすべて**という意味です。たとえば、あなたの恋人、あなたの家族、地域、国、道端の雑草、自然、地球、宇宙も含まれます。

さて、「あなた」が何かをすると「世界」がリアクションを返してくれます。手を振れば風が起こり、空気の存在を感じることができます。山に叫べば、こだまが返ってきます。この世界で起こっていることのすべては、あなたと世界の間のキャッチボールである……そんなふうにイメージしてみてください。

このキャッチボールの中で、あなたが「1. 良いものを作りたいと願うこと」は、最終的には「4. あなたに良い変化が起こる」ということにつながっています。

人は誰だって、しあわせになりたいものですよね。

それでは、「4. あなたに良い変化が起こる」ために必要な条件とは何でしょうか?

それは「3．世界からあなたに良い報酬が届く」ことですね。では、3．を引き起こすための条件はというと、「2．世界に良い変化が起こる」ことです。

ここまでをまとめてみましょう。

あなたが求めるもの↓あなたに良い変化が起こる
そのための条件↓世界に良い変化が起こる

つまり、あなたに「良い変化」を起こすためには、**あなたが何らかの方法で世界を変える必要がある**ということです。

「あなた」を「あなたの会社」と置き換えても構いません。あなたの会社が良い製品やサービスを世界に届けると、世界に良いことが起こって、結果的にあなたの会社が儲かります。そのための条件はただ1つ、「世界に良い変化が起こること」です。

よりシンプルに表現するなら、こうです。

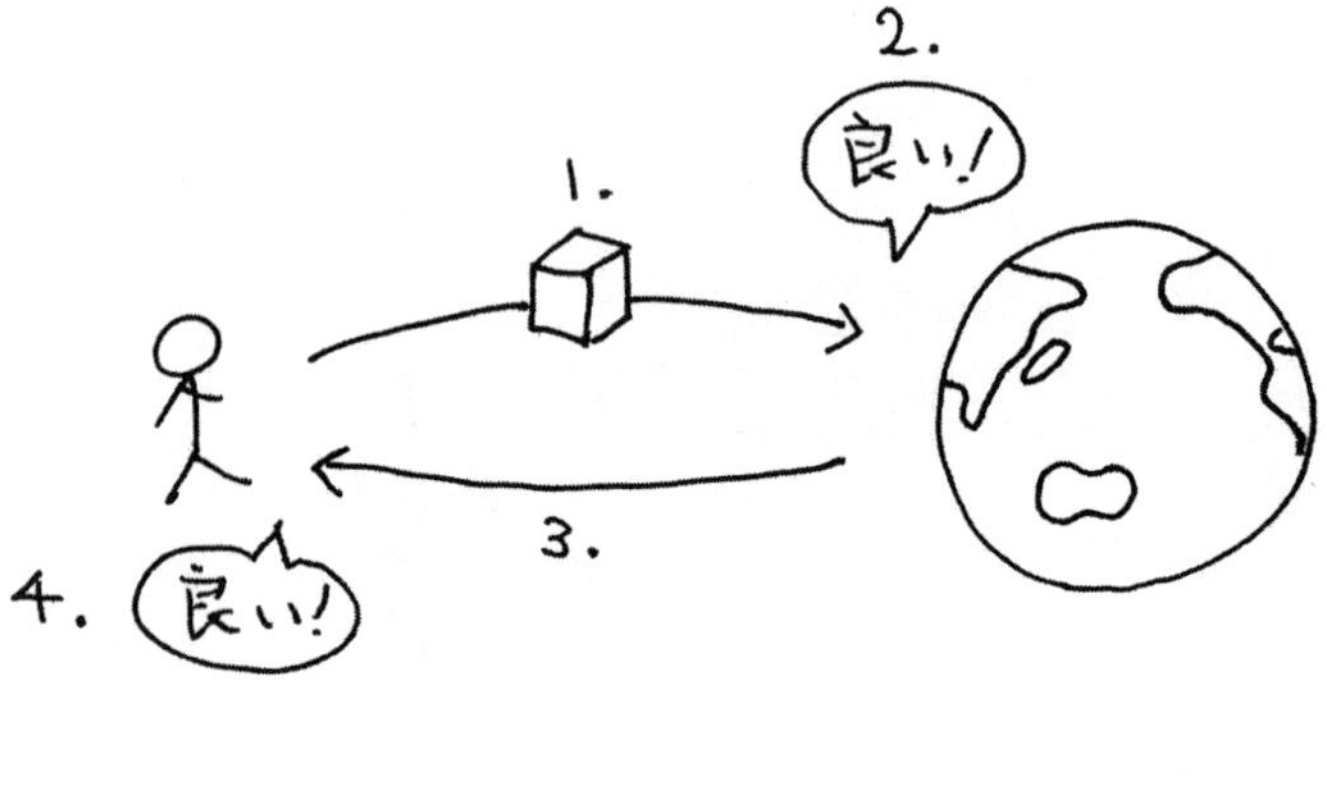

「世界を良くする」

これこそが、あなたが最終的に生み出すべきコンセプトが満たさなければならない最大の条件――いわば「コンセプトのコンセプト」です。

◈

日本で最も有名なゲームのひとつである「ドラゴンクエスト」の最後の悪者「竜王」は、長い旅路の果てに、自らの居城にまでたどりついた勇者に向かってこんなことを言います。

「よく来た、勇者よ。わしが王の中の王、竜王だ。
わしは待っておった。そなたのような若者が現れることを……。
もし、わしの味方になれば世界の半分を勇者にやろう。
どうじゃ、わしの味方になるか？」

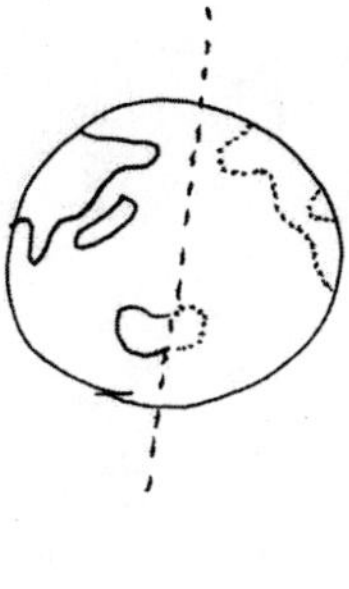

このセリフの後に、「はい」か「いいえ」の選択がプレイヤーに提示されます。世界の

半分をもらえるという素晴らしい質問です……あなたなら、どう答えますか？

さて。この質問には、とても重要なポイントがあります。「ドラゴンクエストは、竜王を倒すゲームである」という大前提、つまりドラゴンクエスト自体のコンセプトを揺るがす究極の質問である、ということです。コンセプトに違反すると、いったいどうなってしまうのでしょうか？

この問いに「はい」と答える……つまり竜王の味方になって世界を半分もらうことを選択すると、恐ろしいことにゲームオーバーになってしまいます。勇者は使命を忘れたがために、闇の世界へと落とされてしまうんです。

「竜王を倒す」という、ドラゴンクエスト全体を貫くコンセプトを無視してしまったために、勇者は罰せられたのです。

実際の製品やサービスを生み出すとき、「世界を良くする」という最も大切な条件を忘れてしまうと、たいていは悲しい結末につながります。世界を良くしていないのですから、ヒットするはずがないのです。その結果、あなた自身もたいしてしあわせになれず、無駄な時間と労力を使ってしまうという罰が下されることになるでしょう。

つまり、竜王からの質問に正々堂々と「いいえ」と答えられる勇者こそが、ものづくりには必要なのです。

ものづくりにおいて最初に必要になるもの、勇者の登場です。ものづくりには、まずコンセプトを考える「勇者」(それはあなたです！)が求められるのです。

勇者としてのあなたの使命は、**コンセプトワークの中で最も大切な条件である「世界を良くする」という想いを持ち続けながら、コンセプトを考え抜くこと**です。

いよいよ霧の中から、「あなた」という勇者が姿を現そうとしています。颯爽《さっそう》と輪郭《りんかく》を見せはじめた、戦いの挑戦者につきつけられる最初の質問——それは、「あなたは世界を良くするか？」という、根源的な問いなのです。

02 コンセプトとは

コンセプトは、世界を良くする方法。

03 冒険の仲間：ものづくりのステップ

コンセプトとは、世界を良くする方法である、というところまでたどりつきました。

そのように考えると、この本を読んでいるあなたは、まさに「世界を良くする方法を考える勇者」といえますね。

では改めて、下の図を見てみましょう。ものづくりの霧は晴れ、その中からあなたという勇者が現れています。

しかし……、ちょっとおかしな点に気づきませんか？

コンセプトワークは、あくまでも**考えるだけの作業**です。具体的にものづくりをする役割ではないにもかかわらず、アウトプットが生み出されてしまっています。

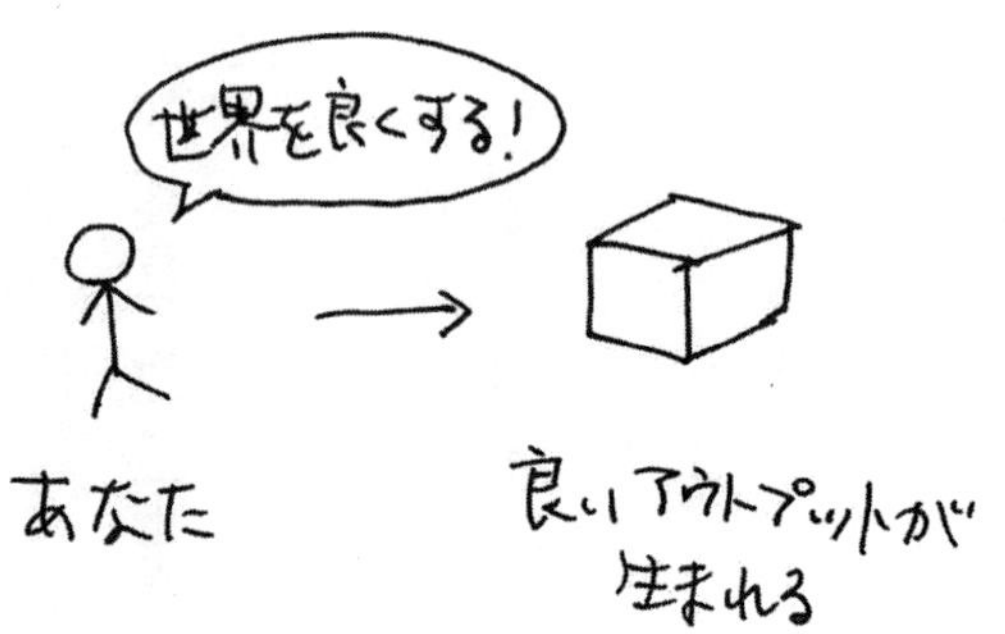

さて、どうしたものでしょうか。

そこで、「実際にものづくりをするあなた」を追加してみます。ここでは、生み出したコンセプトに沿って、具体的なアウトプットを生み出すために必要な作業のことを、**プロジェクト**と呼ぶことにしましょう。そして、この図の中に「プロジェクトを行うあなた」を書き加えてみます。

「コンセプトワークするあなた」と「プロジェクトを行うあなた」。それぞれに「あなた」がついているのはおかしいと感じるかもしれませんね。でも、たとえば一人で料理を作るとき、どんな料理を作ろうかと考えるあなた（コンセプトワークするあなた）と、野菜を切ったりお肉を炒めたりする作業を実際に行うあなた（プロジェクトを進めるあなた）が同一人物なのはよくあることですよね。

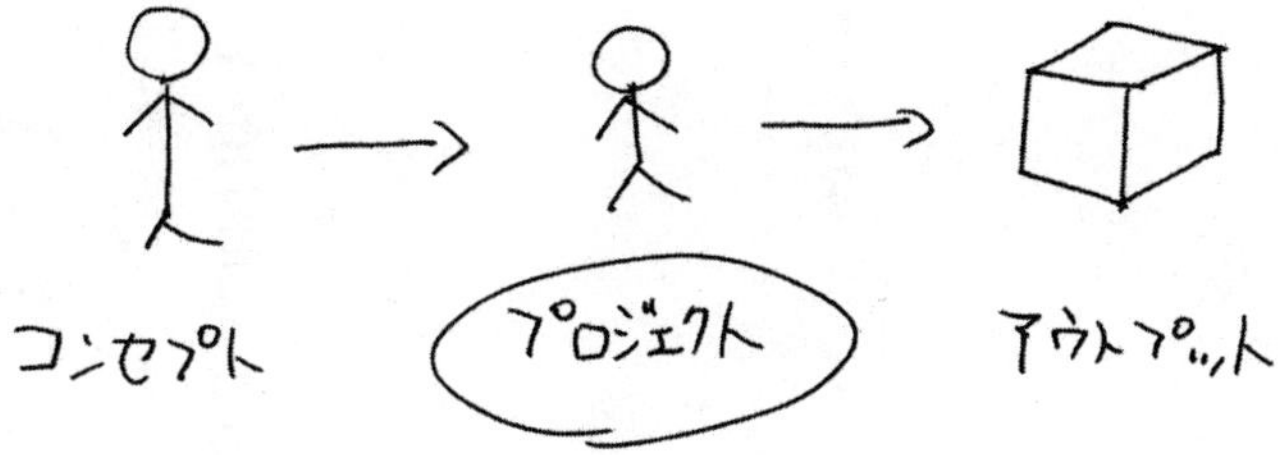

さて、ここまででコンセプトワークとプロジェクトという2つの概念が出てきました。しかし、この2つの役割だけで実際のものづくりまでたどりつけるかというと、実はまだ足りません。特に1人で仕事をしている人は気づきにくく、逆に組織で仕事をしている人は気づきやすいのですが、**コンセプトワークとプロジェクトの間には、さらにもう1つの作業が必要となります。**

その作業とは、プレゼンテーションです。
プロジェクト担当者に、コンセプトを伝えて理解してもらう役割です。

ゲームの中であれば、リーダーである勇者が作戦を叫べば仲間たちは即座に従ってくれます。しかし、会社で同じようなことをしたら、あっという間に嫌われ者になってしまうでしょう。

たとえば、あなたが「ガンガン行こうぜ!」と躍起になったところで、「なぜガンガン行かなきゃならないのか?」「今はガンガン行っても良いほどに安全な状況なのか?」「ガンガン行くことを、株主はどう思うだろう?」「コンプライアンス的に『ガンガン行こうぜ』という表現はいかがなものか?」なんて具合に、仲間たちがさまざまな立場からモノを言ってくるかもしれませんよね。

このような問題は、あなたが1人でものづくりを行うつもりだったとしても発生します。あなたには成し遂げたいコンセプトがあるけれど、実現するためには何年も勉強が必要だったり、時間や体力やお金が足りなかったり、自分にない能力をもつ仲間を見つけなければいけなくなるといった現実的な問題も出てくるかもしれません。大量の「やらなきゃいけないこと」を前にしてひるむあなたを、もう1人のあなたが説得できるかどうか。

そこにはプレゼンテーションという仲介役になる手続きが、目に見えない形で存在しているんですね。

コンセプトワークするあなたは、アウトプットがもたらす未来を明確にイメージできているはずです。一方、プロジェクトを実行する立場のあなたは、現場で起こりうる問題にいつも気を配っています。「そんなこと大変だ、難しい、できるものか！」と反旗を翻すわけです。そんな**2人の間を取り持つもう1人の自分が、「プレゼ**

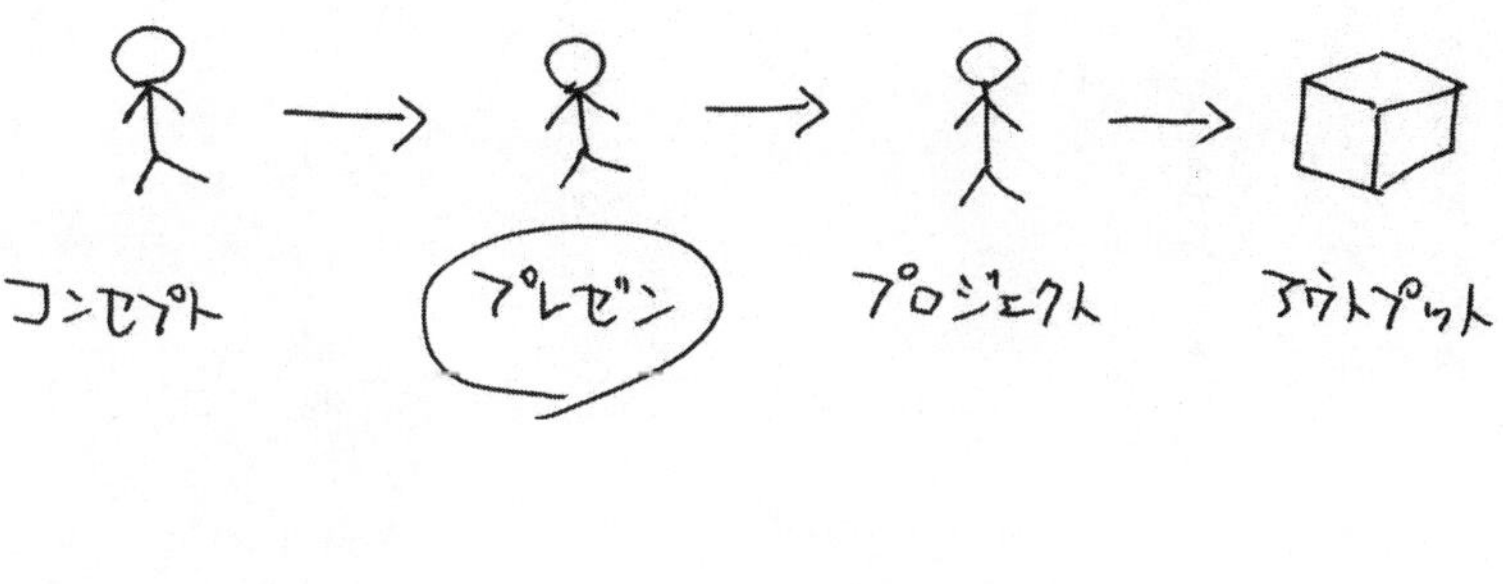

ンテーションするあなた」です。

思い返せば、コンセプトとは「世界を良くする方法」でした。

でも、どれだけ誠実に世界を良くしようとしているコンセプトであっても、「これが世界を良くする方法だ！」と関係者全員に一瞬で理解されるとは限りません。ましてや、そのコンセプトを実現するのに大変な苦難が伴うようであれば、なおさらです。

つまり、プレゼンするあなたは、コンセプトを伝えるのみならず、プロジェクトに参加するメンバー1人1人の心の中に「そのコンセプトを実現したい！」という想いを湧き上がらせるという使命も帯びているんですね。なかなか責任重大です。

◆

コンセプトワーク・プレゼンテーション・プロジェクトという3つの役割の「あなた」がそれぞれ作業をすることによって、「良いもの」を生み出せるところまでようやくたどりつきました。

ドラゴンクエストシリーズに例えるなら、コンセプトを紡ぎ出す勇者（コンセプトワーカー）・仲間をやさしくあたため励ます僧侶（プレゼンター）・実際に敵と剣を合わせる戦士（プロジェクトマネージャー）……といったところでしょうか。霧の中からスタートした冒険も、何だかいっぱしの旅になってきたようです。

しかし実は、冒険の仲間は勇者・僧侶・戦士の３人だけではありません。

もう１人、大切な仲間が必要なのです。

社会現象にまでなった大ヒットＲＰＧゲームソフト「ドラゴンクエストⅢ」を遊んだことのある方ならご存じかと思いますが、冒険の仲間としては実に厄介な職業が１つあります。大した能力もなく、モンスターとの戦闘場面においても全くの役立たずという恐ろしい職業――そう、「遊び人」です。

遊び人は、ただひたすらに「お金がほしい！」「しあわせになりたい！」と叫び、勇者の指示も聞こうともしません。勇者・僧侶・戦士の３人は「世界を救わなきゃ！」と躍起になって巨悪と戦っているにもかかわらず、遊び人は空気を読まずに踊ったりする始末です。なぜ冒険の仲間にしてしまったのだろうか？　と後悔してしまうような職業ですよね。

しかしゲームにおいては、そんな役立たずの遊び人であっても、「一定のレベルまで育つと、特殊な条件もなしに『賢者』というすべての魔法を扱える究極の魔法使いに転職できる」という面白い設定がなされています。遊び人は自らの欲求に素直になれるがゆえに、賢者たる素質を秘めている――。

たかがゲームだと見過ごすことはできない、深淵な捉え方ですね。

遊び人の願いは、シンプルにまとめると次の2点に集約されます。

・しあわせになりたい、したくないことはしたくない

・死にたくない、お金がほしい

これらの願いは決してバカにできるものではありません。勇者である「コンセプトワークするあなた」がどれだけ高尚で素晴らしいコンセプトを披露しても、あなたの内に潜む遊び人が同意しなければ、冒険はいずれストップしてしまうからです。

目の前の道が世界を良くすることにつながっているとしても、その道に進めば自分が不幸になると感じてしまうようであれば、躊躇や迷いは必ず生まれます。きっとプロジェクトは頓挫して、「良いもの」を世に問うことすらできずじまいになってしまうでしょう。

思い返してください、私たちがコンセプトをめぐる冒険に旅立ったのは、「良いもの」を世に出して、ひいては世界を良くしてあなた自身もしあわせになるためでしたよね。

「良いもの」ができなくては、冒険する意味がないのです。

そんな事態を避けるためにも、最終的に生み出すコンセプトは次の2点をクリアしている必要があります。

・あなたが心の底から同意し、それを行えばしあわせになれると信じていること
・あなたやあなたの会社が生きていけること（お金が手に入ること、永続性があること）

ここで、これら2点をコンセプトの中にもたらしてくれる「遊び人」のことを「**生きるあなた**」と呼ぶことにしましょう。

ものづくりという活動があなた自身をしあわせにできるか？　そして、あなたやあなたの会社が永続的に生きていける程度のお金を手に入れられるか？　これらをチェックするのが「生きるあなた」の役割です。

たとえば、任天堂が掲げている会社全体の戦略的コンセプトは、次のような言葉です。

ゲーム人口の拡大：年齢・性別・ゲーム経験の有無にかかわらず、誰でも楽しめる

ゲームを楽しんでくれる人が1人でも増えてくれることは、ゲーム好きが集まっている社員のしあわせに直結しています。もしゲーム人口を拡大できれば、マンガや映画のように文化としての地位や理解を得て、ゲームを楽しんでくれている世界中の人たちが胸を張って「ゲームが好きです」と言えるような世界になるかもしれません。

私は任天堂のこのコンセプトを読みながら、いつもそんなふうに世界が良くなることを考えていました。

また、当たり前の話ですが、「ゲーム人口＝ユーザー数が増えること」によって会社は利益を上げることができます。ですから「ゲーム人口の拡大」というコンセプトは、任天堂社員一同の、心の中の遊び人を満足させているわけです。

これで、冒険の仲間たちの顔ぶれが揃いました。

世界を良くするために立ち上がった「コンセプトワークするあなた」、コンセプトを伝えると同時に皆の心をあたため励ます「プレゼンテーションするあなた」、実際に良いものを具体化する「プロジェクトを行うあなた」、そして素直な心をそのまま表す「生きるあなた」。

4人が手を取り合って、ものづくりという険しい旅を乗り越えていくことになります。

特に忘れがちなのは、遊び人である「生きるあなた」です。

コンセプトは世界を良くする方法であり、それが私たちの望みであることは確かです。世界だって喜んでくれるに違いありません。しかしながら、あまりに世界のことばかりを考えていると、いずれ疲弊し挫折して、「良いもの」を生み出すまでものづくりを続けられない事態になってしまうかもしれません。こうなったら本末転倒です。

コンセプトは、あなたの外側である「世界」を良くする方法であると同時に、あなたの内側である「あなた」がしあわせに生きていく方法でなくてはならないのです。

03 コンセプトとは

コンセプトは、あなたがしあわせに生きられる方法。

04 旗を掲げる：コンセプトのかたち

ここまでのコンセプトの定義をまとめると、次のようになります。

コンセプトは世界を良くすると同時に、あなたがしあわせに生きられる方法。

一見すると抽象的かもしれませんが、コンセプトの良し悪しを判別する条件としては、非常に具体的で有用なものです。「あなた」と「世界」、いずれかでも欠けてしまえば誰かを満足させられる「良いもの」はできません。そのためには「コンセプトワークするあなた」と「生きるあなた」が手を取り合わなければいけません。

さて、残るは「プレゼンテーションをするあなた」と「プロジェクトをするあなた」の2人です。

本節では「プレゼンテーションするあなた」の視点から、コンセプトとは何かを定義してみましょう。あなたがどんなに熱い想いを抱いてコンセプトを生み出したとしても、プロジェクトを遂行する人たちが簡単に理解できるものでなければ意味がありません。

ここではコンセプトの〝形〟にこだわり、コンセプトとは何かをひもといていきましょう。


プレゼンテーションするあなたにとって必要なことは、最終的に生み出すコンセプトが次の3つを満たしていることです。

1. 覚えやすい　簡単に覚えられ、いつでもどこでも思い出せること。
2. 伝わりやすい　人々の間で流通しやすいこと。
3. 変わらない　数多くのコミュニケーションを通しても、形が変わらないこと。

ものづくりの現場で実によくある問題ですが、プレゼンテーションを聞いている間だけは理解したつもりになっても、いったん会議室の外に出るとすっかり忘れてしまう人が続出します。人の記憶力には限りがありますから、「どうやって覚えてもらうか？」はプレゼンを担当するあなたにとって、極めて本質的な問題です。

また、組織の仲間全員を集めて一度にプレゼンを聞いてもらえるなら話は早いのですが、現実には非常に難しいという問題があります。社員全員を集めるのは大変ですから、代表者に聞いてもらって後から広めてもらうといった場面がしばしばです。

そんなとき、**コンセプトが伝わりやすい形でなければならないことは明らかです。**

そして最後に、コンセプトは、「良いもの」が完成するまでは変わってはいけないということにも注意しなければいけません。

プレゼンの担当者は、コンセプトワークの担当者が伝えたコンセプトを少したりとも変えてはいけませんし、プロジェクトが走り続ける間もそっくりそのままの形で生き続け、共有され続けなければなりません。形が変わってしまうと、走り続けている間のどこかでメンバー間の意思統一が崩れて、最後には「よれた商品」や「ブレてるサービス」なんて呼ばれるものができ上がってしまうかもしれません。

では、これら3つの条件を満たすためには、コンセプトはどんな〝形〟を取るべきでしょうか？　コンセプトが取り得る形を、いくつか列挙してみましょう。

・文字による言葉
・絵やイラスト
・デザインされたマーク

・フローチャートなどの図
・音声による言葉・音楽
・映像
・立体造形物

このようにさまざまな形が考えられますが、先の3つの条件を満たすものは1つしかありません。それは、**文字による言葉**です。

それ以外は、プレゼンテーションを聞いた後に持ち帰るのは難しいですし、プロジェクトメンバーが思い出したり、共有したりするには時間がかかってしまいます。さらには、メンバーそれぞれが独自の解釈を入れる余地を残してしまうものです。

ですから、コンセプトは必ず「文字による言葉」でなくてはいけません。

さて、コンセプトは「文字による言葉」だというところまでは来ましたが、文字による言葉なら何でも良いかというと、まだ残された条件があります。文字にもいくつか種類がありますから、いくつか候補を挙げてみましょう。

・ひらがな・カタカナ・漢字
・数字
・アルファベット
・外国語

これらのうち、先に挙げた3つの条件を考慮すると、やはり1つしか選択肢は残りません。


まず、数字は覚えるのが大変です。特に年号や売り上げの数字などは、うっかり間違ってしまいかねません。

1ケタ2ケタなら誰だって覚えられるだろうと思われるかもしれませんが、たとえば「今年は平成何年?」「お父さん・お母さんの年齢は?」という、とても身近で大切な2ケタの数字でさえ曖昧な人は多いものです（私は間違いなく迷いますし、不安になってしまいます）。

次にアルファベットですが、そもそも綴《つづ》りを間違えるかもしれませんし、英単語の意味は人によって理解がま

ちまちですから、コンセプトには不相応といえます。言葉の意味するものではなく、「何となく英語だとサマになる、かっこいい」という印象を持たれてしまうのも問題です。

コンセプトはキャッチフレーズやスローガンではありませんから、何もかっこよくする必要はありません。

となると、残るのは「ひらがな・カタカナ・漢字」だけです。

ただし、カタカナでも「トマト」とか「トランプ」のように対象がはっきりしていて、誰しもが具体的に同じイメージを持てるものなら良いのですが、「フレッシュ」とか「フィール」のように、イメージがぼんやりとしていて、解釈の幅が広いものは使うべきではないでしょう。

検討の結果、コンセプトに使える文字として、「ひらがな・カタカナ・漢字」が最終的に残りました。ただし、これらはすべて日本人だけがはっきりと理解できるもの

ですから、より正確に表現するなら**「数字を除く、母国語の文字」**とすべきでしょう。

そして最後にもう1つ、プレゼンテーションするあなたにとって大切な条件があります。

コンセプトは、みんなが簡単に覚えられることが条件なので、できるだけ簡潔な表現を使わなければなりません。プレゼンテーションを聞いたプロジェクトメンバー全員が容易に思い出せて、頻繁に口にできる文字数でまとめましょう。

夏の夜に響き渡るカエルの合唱のように、みんなで復唱できるぐらいがちょうど良いです。カエルであれば「ゲロゲロ」と鳴いたぐらいで脳みそがパンクしてしまいますが（カエルに失礼ですね）、私たち人間は何文字ぐらいなら一度に覚えられるでしょうか？

ここでは、私の経験上の数字を挙げます。

20文字です。

長くとも20文字に収めなければ、コンセプトは覚えてもらえず、組織の中で流通しにくくなります。さらにいえば、実は20文字でも長いのです。短いに越したことはありません。たとえば松尾芭蕉の有名な俳句すら、注意深く思い出さなければ正確に復唱できないのが私たちの性《さが》のようです。

閑《しずけ》さや　××××××　×××××

いかがでしょう？　思い出そうとした瞬間、わずかでも不安になりませんでしたか？あるいは「蛙《かわず》飛びこむ　水の音」と間違った答えを埋めてしまいませんでしたか？意地悪ですが、そういった混乱を期待しながらカエルを引き合いに出したのです、ごめんなさい。正解は「閑さや　**岩にしみ入る　蝉の声**」ですね。

このように私たちは、これだけの文字数ですら正確に記憶できないのが常です。コンセプトを誰かに伝えるときにも、同じことがいえます。仮にプレゼンに時間をたっぷり使えるとしても、最終的に参加者の頭に残すべきものは「20文字ほどの言葉」でなければいけません。

世界を良くするために、そしてあなたがしあわせに生きていくために考えたコンセプトですから、長くなってしまうのは無理もありません。しかし、その想いを、たった20文字ほどの文字に落とし込めれば、ものづくりという冒険の旅を迷わずに突き進むことができるでしょう。コンセプトを聞いたり思い出したりする機会が増えるほど、ものづくりの当初の想いに立ち返り、迷いを振り払えます。

冒険の旅がとても険しいであろうことは、想像に難くありません。だからこそ、困難を前にして胸に手を当て、誓いを新たにする場面が、きっとやって来ます。

04
コンセプトとは

コンセプトは、数字を除く母国語の文字20字程度の言葉。

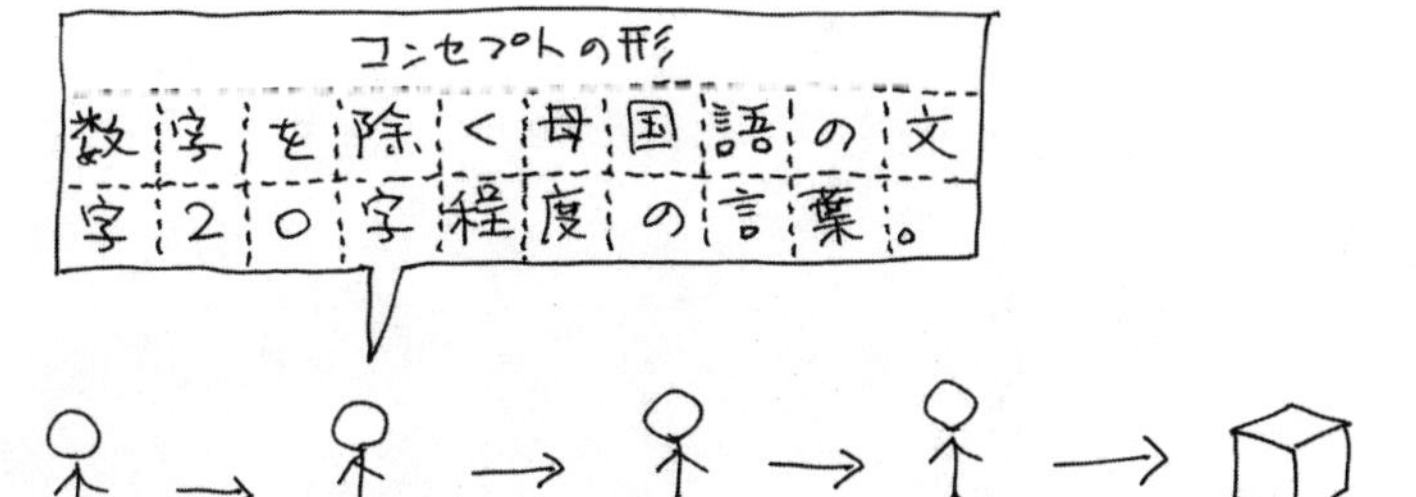
コンセプトの形
数字を除く母国語の文字20字程度の言葉。
生きる
コンセプト
プレゼン
プロジェクト
アウトプット

05 悪魔のささやき : 「良い」ということ

コンセプトの奥底へと降りていく道のりも、もはや半分まで差しかかりました。ここまでに見えてきたことを振り返ってみましょう。

・コンセプトは、世界を良くする方法。
・コンセプトは、あなたがしあわせに生きられる方法。
・コンセプトは、母国語の文字で構成される20文字程度の言葉。

ここで1つ、思い出してほしいことがあります。もともとは、ものづくりによって「良いもの」を生み出すためにコンセプトを考えているはずでした。

それなら、こんなコンセプトを掲げてみてはどうでしょうか?

「良いものを作る」

良いものを作って世界に提供すれば、間違いなく世界は良くなりますし、良いものが売れればあなたはしあわせに生きられます。さらに、20文字程度という条件も余裕でクリアできています。

だったら、これをコンセプトにすれば良いじゃないか！　ということになりますが……どう思いますか？　こんなのコンセプトじゃないよ！　って、思いませんでしたか？　その通りです。これがコンセプトになり得るのなら、この本なんて必要ありませんよね。

結論を先にお伝えします。**コンセプトを考えるときに「良い」という言葉を使ってはいけません。**「良い」という言葉はコンセプトワークにおいて、あなたを堕落へと導く悪魔の誘いのようなものです。

本節は、この「良い」という言葉についてのお話です。

本書の冒頭で、私たちが生きているこの世界全体を「あなた」と「世界」の2つに分けました。

同じように「良い」を2つに分けてみたいと思います。

その2つの良さとは、**「既知の良さ」**と**「未知の良さ」**です。

想像してみてください。

あなたは、新しいスマートフォンの企画担当です。他社の商品を出し抜く魅力的な商品を生み出すために、大きな画面を採用すべきかどうかを検討しています。

大きな画面は美しく見栄えが良いので、たしかにユーザーから好まれるはずです。

しかし、結果としてコストは跳ね上がり、本体は大きく重くなり、消費電力が大きくなるため電池のもちが悪くなり、耐久性も問題になり、大きな画面を画像や文字やアニメーションで埋められるほどの描画能力も必要になってしまいます。

「とにかく良いものを作ろう」と考えると、商品価格や使い心地、開発の難易度などで、必ずしっぺ返しがきます。無理矢理にでも安く売ることは理論的には可能ですが、そのためには、たくさんのお金・ロボットのように休まず動いてくれる労働力・研究開発のための膨大な時間といったように、無限のリソースが必要になるでしょう。

そこに具体性は存在せず、あるのは理想だけです。

じゃあいっそのこと、良いものを作ろうと考えるのは、やめてしまいましょう。

とんでもない！　と思われるかもしれませんが、もう1つ例を挙げてみたいと思います。「良い」という言葉の正体を捉えれば、きっとわかってもらえると思います。

「良い」の典型的な例として、「あたたかくて軽いのに安いフリース」を考えてみます。寒さをしのぐ商品としての「良さ」を追求したこの商品は、他の商品に比べて圧倒的に軽いのにあたたかく、かつ他社よりも安く売られています。文句なしに「良い」商品と呼べるでしょう。

ここで注目したいのは、この商品の良さである「あたたかい」「軽い」「安い」といった特徴が**「ユーザーみんなが良さについて直感的・本能的に理解していて、簡単に説明することができる良さだ」**という点です。

あたたかさ、軽さ、安さ。その他にも、大きさ、美しさ、持ち歩けるかどうか等々、ユーザーが「良い」と即座に理解できるだろう要素はたくさんあります。ユーザーはこれらの良さを間違いなく長所だと感じるでしょうし、メーカー側だって確信しているはずです。「良いものだから、買おう」「良いものは良いのだから、売れるはずだ」と。

このように、製品やサービスを提供する側も受ける側も満足できると確信できる「良さ」が**「既知の良さ」**です。ユーザーが「それは良いことだ」とすでに知っている、という意味です。

フリース以外で例えるなら、次のような「良さ」が「既知の良さ」として挙げられます。

・スピード・燃費など、自動車の性能
・計算の速さ・記憶容量など、コンピューターの処理能力
・人の学歴・年収など、一列に並べて比べられる事柄

世の中の大半の商品は、「既知の良さ」を頼りに商売をしていて、そこには熾烈な競争があります。なぜなら、これら「既知の良さ」を実現するには、圧倒的なまでのお金・時間・労働力をつぎ込まなければいけないからです。とはいえ、繰り返しになりますが、無限のリソースというものを私たちは持ち合わせていません。

「既知の良さ」の追求が大切であることは間違いありませんし、「既知の良さ」を武器にした戦場でしのぎを削るメーカーさんがいてくれるからこそ、私たちの生活が豊かになっていくというのも、まぎれもない事実です。

しかし、ときに**「未知の良さ」**とでもいうべき新しい、圧倒的な良さを持った商品が市場に現れます。「何だろう、何か良い！」と思うけれど、その「良さ」を言葉にすることができませんから、なぜ売れたのかと聞かれても「とにかくパワーがあるというか、魅力があるというか、まあ、良い商品だからでしょうね……」とお茶を濁すことしかできないような商品！

そんなものが生まれたとき人々は喝采し、まるで世界に新しい光が生まれたかのように熱狂します。メディアはその商品を「もはや社会現象！」と大々的に取り上げ、巷はその商品の話題でもちきりになります。しかも恐ろしいことに、その商品のどこが「良い」のかは、その時点では把握できないのですから、他社も追いつきようがありません。

「既知の良さ」なら、いくらでも追いつけるのです。お金や時間や労働力をつぎ込めば、いくらでもモノの値段は安く高機能にできます。つまり「既知の良さ」を売りにした商品を取り扱う業界では、ほとんどの場合、莫大なリソースを商品開発に投入できる**大企業が勝つ**ことになります。

「既知の良さ」と「未知の良さ」をまとめると、次のようになります。

- **既知の良さ**
  ユーザーも作り手も、その良さ自体や良い理由を直感的に理解できるが、実現するには無限のリソースが必要になる。
- **未知の良さ**
  ユーザーはその良さ自体がうまく表現できず、他メーカーも追従できない。実現するには「リソース以外の何か」が必要になる。

そしてこの、**「リソース以外の何か」こそがまさに、コンセプトなのです。**

未知の良さを作り出すことが何より大切だという点については、きっと同意してもらえると思います。でも、1つ問題があります。「未知の良さ」は、ユーザーもその良さをうまく理解できませんし、表現することもできません。いわば、「未知の良さ」はまだ万人が客観的に良いと認めるものではないということです。逆に言えば、ユーザーが皆「良い」と認めるものは、すべて既知の良さに属しています。

コンセプトを考えているあなたにも、同じことがいえます。

あなたが「良い」という言葉を使った瞬間に、その言葉はすでに「既知の良さ」を帯びてしまっているのです。

既知の良さは誰からも理解してもらえるからこそ、ついつい頼りたくなってしまうものです。しかし、既知の良さに頼っている限り、無限のリソースが必要になり、結果として「良いもの」は作れなくなってしまいます。客観的で誰もが認める「良さ」を追求した結果、「良いもの」が生まれなくなってしまうという逆説的な現象が起こってしまうんです。

一方、未知の良さは「間違いなくそれは良いものだ」と直感的に理解することはできません。だからこそものづくりの旅は険しさを増し、常に不安にさいなまれることでしょう。

しかし、その旅をなし終えた者にしか、世界を変えてしまうほどの「良いもの」を生み出すことはできないのです。

例えるなら、現在の私たちは、既知の良さによって切り開かれた街の住人です。

既知の良さという街の中は一見安全そうに見えますが、中では人がひしめき合い、強い人だけが生き残れる世知辛い場所です。

その街は未知という雲に周囲を覆われていて、その雲の下には魔物がいると伝えられています。

勇者であるあなたの役割は、その雲を裂いて未知の大地を拓くことです。

「良い」という言葉が、その言葉が持つ圧倒的なまでの安心感が、あなたを街の中へと押し留めようとするでしょう。しかし、その言葉に耳を貸してはいけません。それはいわば、悪魔の誘惑です。世界を良くしようとするあなたと相対《あいたい》するのは、世界をそのままの状態で留まらせようと企む悪魔です。

ですから、勇者であるあなたは「良い」という言葉を捨て、あえて自分から未知という雲の中に突き進まなければなりません。

未だ誰にも知られていない、隠された「良さ」を見つけ出すために——。

05
コンセプトとは

コンセプトは、未知の良さに形を与えたもの。

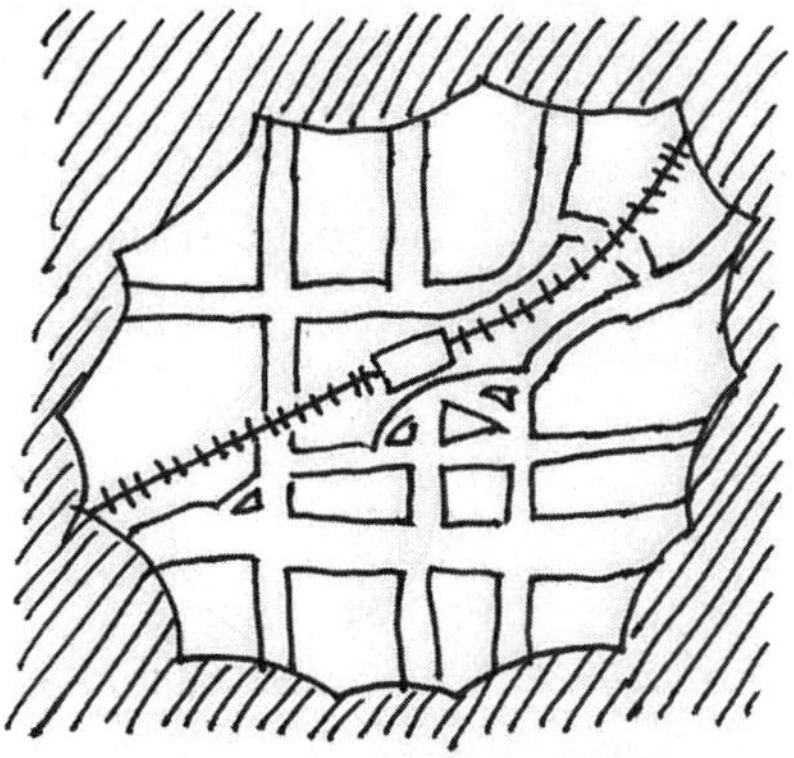

未知の雲のすきま
既知の街

06 翼を授かる：ビジョン

コンセプトの中身について、少しずつイメージが開けてきました。

「未知の良さ」こそが、コンセプトが向かうべき場所です。しかし、未知のことを見つけるなんて、そう簡単にはいきそうにありませんね。何しろ未知ですから、今の私たちにはそれが「良い」ものか明確に見分けるどころか、直感的に「良い」と感じることすら難しいという状態です。

本節からは、そうした「未知の良さ」を発見するための方法を考えていきましょう。鍵になるのは、勇者でも僧侶でも戦士でもなく、遊び人である「生きるあなた」です。

◆

私が任天堂に入社したとき、新入社員同士が集まって、自分がこれからどのような仕事をしたいか、何を成し遂げたいかについて話し合う機会がありました。そのときに私が言ったのは、次のようなことでした。

「うちのおばあちゃんにも楽しめるゲームを作りたい」

私はゲームが好きであり、おばあちゃんが大好きです。ゲームの楽しさをおばあちゃんと一緒に分かち合えないかを、本気で考えていました。説明書なしにみんなで楽しめる間口の広いゲーム作りを得意としている任天堂なら、きっとその願いを実現できるはず。それが、私自身に潜む「生きるわたし」が抱く〝素直な願い〟でした。

こうした願いに気づくことが、「未知の良さ」に触れるためのスタート地点になります。本書では、こうした**〝素直な願い〟をビジョンと呼ぶことにしましょう。**

私が抱いていたビジョンは、他にもたくさんありました。

・うちのおばあちゃんでも遊べるゲームがあればいいのに
・「ゲーム叩き」の風潮が収まればいいのに
・ゲームが映画や小説や音楽みたいに、文化として認められる社会になればいいのに

・女性がゲーム機を嫌っている現状を変えられたらいいのに
・ゲームが難しくなって、新しいユーザーが増えにくい現状を変えられたらいいのに
・ゲームが趣味ですって言うときに、堂々と胸を張れる自分になれたらいいのに
・鍋で一家団欒《だんらん》を楽しむのと同じように、ゲームを楽しんでもらえたらいいのに

たとえば、「鍋で一家団欒を楽しむのと同じようなゲーム」というビジョンを思いついたとき、私の頭の中には次のようなイメージが広がりました。

・家族みんながテレビを見て笑顔になっている
・身を乗り出している人がいる
・部屋の中に湯気が広がり、しっとりとして湿気が高い感じ

・外は薄暗く青みを帯びている一方で、家の中は明るく暖かみのある色合い
・「肉ばかり食べるな！」と誰かが誰かを冗談っぽくたしなめているが、たしなめられているほうも楽しげに笑っている

Ｗｉｉというゲーム機をご存知の方なら、これらのイメージはＷｉｉにも通ずるものがあると感じていただけるかと思います。

実際にＷｉｉのＣＭを見てみても、タレントさんが互いに冗談を言い合いながら、笑いながら、体を動かしながら、あたたかい雰囲気の部屋でゲームを楽しんでいる場面が数多く出てきます。家族や仲間でゲームを楽しむというしあわせな時間のイメージは、私にとっては**「鍋」という言葉に凝縮されていました。**それは、今でも思い出すたびに心がほっこりするほど大切な、私のプライベートなビジョンでした。

しかし、これほどまでに大切に思うビジョンであっても、否定するのは実は非常に簡単なんです。たとえば、次のようにもっともらしく否定できます。

・ゲームのメインユーザーは男子中学生から大学生だが、この世代は独立心が強く、家族という価値観を否定しがちであり、鍋のような食事を嫌う。

・核家族化が進み共働きが増えて少子化が進む世の中で、家族が一カ所に集まることは難しくなっており、そもそも鍋を囲む機会自体が減っている。

このような否定が繰り返されると、「鍋」という路線自体が誤りであるかのように思えて、不安を感じはじめます。こうして、どんどん不安になっていくと、私自身の心がこのビジョンを否定しにかかってくるようになります。

「お前そんなに家族っていう考え方、好きだったっけ？　良い子ぶってるんじゃない？」

「ゲームは結局は若い男がやるもんで、それ以外の層を攻めたって金にはならんよ？」

さらに、ちょっと気持ちが落ち込んでいるときなどは、こんなことすら思うんです。

「お前、父子家庭じゃんか。一家団欒のことを、どれだけ知ってるんだよ？　おまけに独身だし。結局お前が家族家族と言ってるのって、単なるコンプレックスなんじゃないの？」

ビジョンというものは、それを夢想している間なら、まるで背中に生えた翼のように美しくあたたかい世界へと連れていってくれます。

しかし、それを実際に実現しようと考えたり、現実に則して考えはじめた途端、いとも簡単に壊れてしまうほど脆いものでもあるんですね。しかし、それで構いません。たとえ個々のビジョンが簡単に否定されてしまう問題児だったとしても、何ら問題はありません。ビジョンを司る遊び人の世界では、不思議なことが起こります。脆く弱いビジョンを集めれば集めるほど、逆に強くなるのです。

ビジョンはそもそも、いっさい責任を取るつもりもなく、実現可能性にも触れられていない〝純然たる欲求〟でなければいけません。なぜなら、それは遊び人から聞こえてくる素直な声でなければいけないからです。

むしろいい加減なビジョンであるほうが望ましく、その欲求が心に忠実でさえあればあるほど歓迎すべきです。他の細かいことは放っておいても構いません。

個々のビジョンがどれだけいい加減なものであったとしても、それらの**ビジョンが集まれば集まるほど、そこからコンセプトを生み出しやすくなるのです。**改めて、ビジョン群を読み返してみてください。

1つのビジョンを否定するのは簡単でしたが……

・うちのおばあちゃんでも遊べるゲームがあればいいのに
・「ゲーム叩き」の風潮が収まればいいのに
・ゲームが映画や小説や音楽みたいに、文化として認められる社会になればいいのに
・女性がゲーム機を嫌っている現状を変えられたらいいのに
・ゲームが難しくなって、新しいユーザーが増えにくい現状を変えられたらいいのに
・ゲームが趣味ですって言うときに、堂々と胸を張れる自分になれたらいいのに
・鍋で一家団欒を楽しむのと同じように、ゲームを楽しんでもらえたらいいのに

1つ1つは簡単に砕くことができるビジョンであっても、無数のビジョンが集まると、ビジョンの向こう側が透けて見えるように思えてくるときがあります。あらゆるビジョンの後ろで糸を引いている、巨大な真の敵のようなものが、うっすらと姿を現しはじめているように感じることがあるんです。

先のビジョン群の奥には、何かしら「ゲームが市民権を得ていて、嫌われていなくて、みんなが楽しんでいるような感じ」といったような、何かボンヤリとした想いがあるように感じられないでしょうか？

そのボンヤリとした想いが、無数の脆く弱いビジョンを強く結びつけます。個々のビジョンは簡単に砕かれてしまうかもしれませんが、もしそれらがあなたの心の中の遊び人が発

した〝素直な願い〟であれば、ビジョンの群れ自体は強さを増していくでしょう。

無数のビジョンの群れの向こうにうっすらと見えるものに、目を凝らしましょう。

それが未知の雲を打ち砕く、世界を良くするコンセプトにきっとなるはずです。いわばコンセプトとは、「複数のビジョンが抱える複数の問題を同時に解決してしまう魔法」のようなものだといえます。

遊び人の世界では、**「問題が多いほど、解決しやすくなる」**という不思議な現象が起こるのです。

さらにもう1つ、遊び人の世界に生じる不思議な現象を挙げましょう。

企画を考えているとき、普通はこんな質問をしたり、されたりするでしょう。

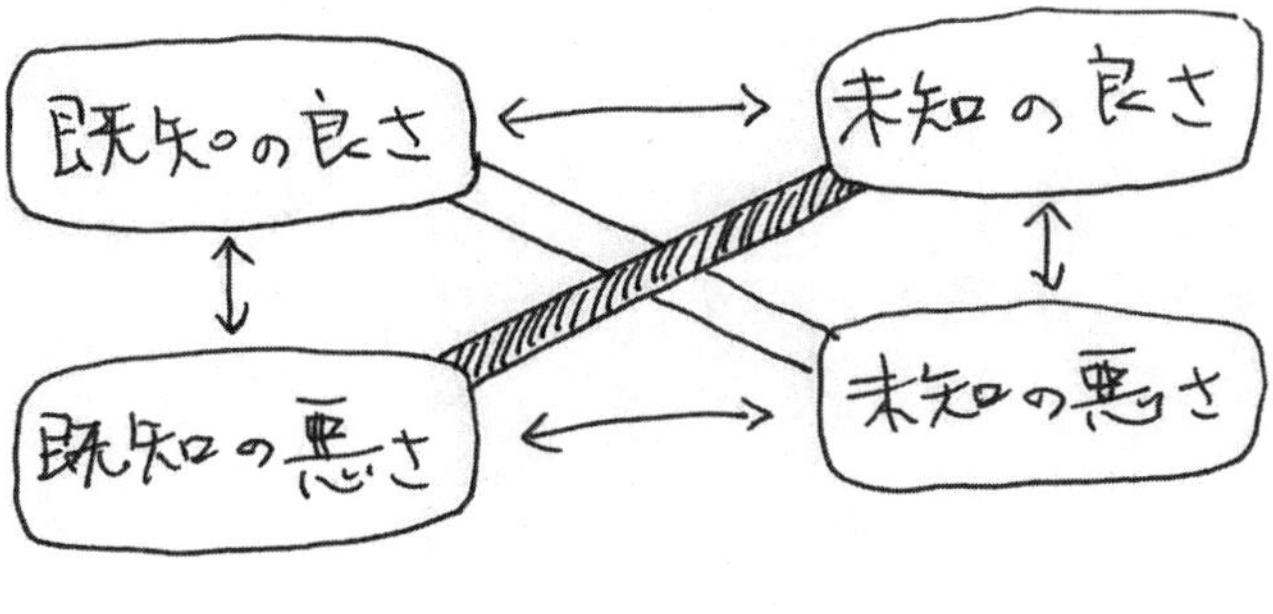
既知の良さ
未知の良さ
既知の悪さ
未知の悪さ

「新しいゲーム機ってさ、どんな機能がついてたら良いと思う？」

この質問自体が、すでに「既知の良さ」を訊ねている点に注目してください。ビジョンを訊ねている質問ではありますが、その答えとして求めているのは、みんなが良いと直感的に感じられるもの……すなわち「既知の良さ」である点が、大きな問題です。

一方、「鍋」というビジョンは、容易に否定されるビジョンでした。むしろ夢想的で、現実味が薄く、荒唐無稽なビジョンだと断じられても仕方がないほどです。

しかし、もし誰かに否定されたとしても、注意深く「否定された」という現実を観察してみてください。このビジョンは、あなたは「良い」と思っているけれど、他人には直感的に「良い」と理解してもらえなかったからこそ、否定されたわけです。

……そう、未知の良さを含んでいる可能性があるんです。

遊び人の世界で生じるもう1つの不思議な現象とは、**「否定されるビジョンほど価値がある」**という価値の逆転現象です。

私たちが求めるべきは、未だユーザーも私たちもが発見できていない未知の良さであって、既知の良さに頼りたくなる気持ちと決別しなければなりません。

あるビジョンに「良い」という形容詞を使えるということは、そのビジョン自体が既知の良さに近づいていることの現れです。一方、ビジョンに「良い」という言葉を使いにくいと感じたとき、そのビジョンには少なくとも既知の良さはないものの、かわりに未知の良さが眠っているかもしれないと考えられます。

ここからわかることは、**簡単に「悪い」と否定されてしまうビジョンほど、実は「未知の良さ」を含んでいる可能性が高い**ということです。

否定されやすいビジョンは、きっと他の誰かが何度も否定してきたビジョンだといえます。既知の良さにもとづく画一的で保守的な考え方によって私たちが知り得なかった未知の良さが、こっそりとビジョンの中に眠っているかもしれません。

つまり、否定されやすいビジョンほど、未知の価値に近づいているんです。

遊び人の世界で起こる2つの不思議な現象を1つにまとめると、次のようになります。

脆く、弱く、否定されやすいビジョンを無数に集めることこそが、コンセプトへの最大の近道となる。

通常の価値観なら、問題のあるビジョンは極力排除したうえで、誰からも否定されないただ1つの強いビジョンを作りたくなるかもしれません。しかし、それでは既知の良さにしかつながらないのです。

企画についての議論において「ユーザーは自分の求めるものが何なのかわかっていない」「ユーザーに欲しい商品を聞いても意味がない」という主張がしばしば登場します。

この主張に大枠では賛成ですが、一方で、言葉の響きとしてユーザーをバカにしているようにも聞こえるため、私はこの表現が好きではありません。

06 コンセプトとは

コンセプトは、ビジョンの集合体から生み出される。

「ユーザーは何が欲しいのかをわかっていない」のではなく、「未知の良さは、ユーザーにとっても作り手にとっても未知である」というのが、正しい認識だと私は考えています。既知の良さに囚われることなく、ユーザーにとっても私たちにとっても未知となる良さを探し求め続けられるかどうか。そのためには、遊び人である「生きるあなた」の素直な想いに耳を傾けてみることが最大の近道になります。

例えるなら、ビジョンはあなたの心の中からコンセプトをつかみ出し、現実世界に運んできてくれる伝書鳩のような存在です。

その鳥は、無責任な遊び人である「生きるあなた」と、世界を変えるために険しい冒険を続けている勇者である「コンセプトワークするあなた」との間にある深い谷を悠々と飛び越え、真のコンセプトへと私たちを導いてくれるでしょう。

ビジョンの集合体

07 始まりの約束 :: アイテム

コンセプトはビジョンだけがあれば完成するかというと、残念ながらそうではありません。まだ不足している要素があります。遊び人の「生きるあなた」が自由気ままに語る言葉は、そのままでは現実の世界では受け入れられにくいものだからです。

では、ここで決定的に足りないものは何でしょうか?

本節は、そんなお話です。

助けを借りるのは、コンセプトワークするあなたという勇者の隣にいるもう1人の仲間、「プレゼンテーションするあなた」です。

ビジョンを集め、その奥に目を凝らし、やっとの思いでコンセプトの半分をつかみ出したとき、あなたは自信にあふれ何事もうまくいきそうな気分になっているかもしれません。まるで、本当に勇者になったかのような錯覚に陥るかもしれません。

しかし、ふと思うんです。これをどうやって他人に説明すれば、賛同を得られるのだろうか？ と。

ビジョンはあなたの中から生まれてきたものです。しかし、実際にものづくりを進めるには、そのままではいけません。コンセプトを「あなた」から「あなた以外の世界」に向けて、賛同を得られる形で伝える作業が必要となります。

その作業を担ってくれるのが**「プレゼンテーションするあなた」**です。

唐突ですが、昔話「桃太郎」を例にとりたいと思います。日本を代表する冒険物語ですね。まずは、桃太郎の物語に1人、登場人物を加えてみましょう。それは「あなた」です。あなたは何かの間違いで、桃太郎の物語の世界に入り込んでしまいました。今この本を読んでいるあなたと全く同じ記憶や価値観を持っています。

ある日、桃太郎がこんなことを言い出します。

「一緒に鬼ケ島に行こう！」

あなたは鬼の恐ろしさを知っていますから、きっと桃太郎を止めるでしょう（そもそも鬼が世界に存在しているという事実だけで、十分怖いですよね）。危険だ、殺されてしまう。お前の言うことは分かるけれど、もう少し考え直したほうが良いのではないか——？ そう尻込みしてしまうのは、ごくごく自然なことです。

ここで問題になるのは、プレゼンです。果たして桃太郎はどのようなプレゼンをすれば、あなたを説得できるでしょうか？ あなたは桃太郎の物語を知っていますから、最終的に桃太郎がどのような条件をクリアすれば鬼を退治できるかわかっているはずです。

そこから逆算すれば、桃太郎が事前に何を検討していれば良いかが論理的に導けますね。

桃太郎からプレゼンを受けるあなたは、桃太郎には犬・猿・キジという3匹の家来が必要だということを知っています。彼らがいなければ、桃太郎は鬼ケ島陥落を実現できません。そこで、あなたがまず考えるべきことは、「いま自分の目の前にいる桃太郎は、犬・猿・キジによる助けが必要であることを理解しているか?」ということです。

次に、「犬・猿・キジと確実に会えて、かつ家来にできる保証はあるのか?」ということも考えておくべきでしょう。

さらには、彼らを家来にするために必要となるのは吉備団子ですから、「吉備団子は持っているか?」という質問に対して満足のいく回答を得られることまでが、桃太郎と共に冒険に繰り出すための必須条件となります。

あなたはこっそりと桃太郎に「ねぇ桃ちゃんさー、吉備団子のこととか、考えてる?」と質問したくなるでしょうし、もし「ぜんぜん考えてないけど、大丈夫さ! ガンガン行こうぜ!」なんて呑気に桃太郎が答えようものなら、サジを投げたくもなるでしょう。

「おじいさんやおばあさんは、吉備団子を作って桃太郎に持たせてくれるだろうか?」という点も詰めておかなければいけませんし、それらの条件が桃太郎の冒険を成功させる唯一の線であるということを、桃太郎自身がしっかり理解しているかどうかもチェックしたいところです。

つまり、現代から昔話の中に迷い込んだ〝極めて現実的なあなた〟を説得するためには、桃太郎は次のようにプレゼンしなければなりません。

「鬼を退治したいため、鬼ヶ島に行きたいと考えている。鬼を退治するには家来が必要で、それは道中で必ず出会える犬・猿・キジが適役だ。彼らを家来にするためには吉備団子が必要になるが、その吉備団子はおじいさん・おばあさんに持たせてもらえることがわかっている。だから、一緒に鬼ヶ島に行こうではないか！」

――何ともつまらないヒーローですが、ここまでプレゼンしてもらわなければ、「だったらＯＫ！」とあなたは心から同意できないでしょう。

本書では、ビジョンを実際に達成するために必要となるモノ・コトを、**アイテム**と呼ぶことにしましょう。

鬼退治は、誰もが喜ぶことに違いありません。しかし、

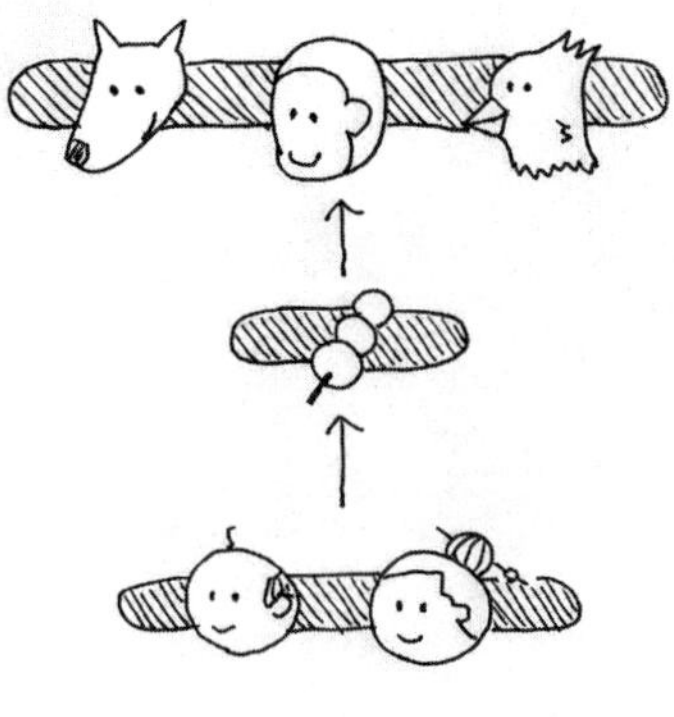

「それなら実現しそうだから参加するよ！」と聞く人全員に納得してもらうためには、**ビジョンだけでは不十分**です。

家来・吉備団子・おじいさん・おばあさんといったアイテムが「世界」に存在しているということ、そして、そのアイテム同士が論理的につながっているということを説明できなければ、他の仲間たちに一歩を踏み出してもらうことは叶わないでしょう。

つまり、**コンセプトの残り半分は、アイテムの集合体**です。

桃太郎があなたを説得するのと同じように、あなたはアイテム群によってコンセプトが実現可能なものだとプロジェクトメンバーに伝える必要があるのですね。

ところで、桃太郎の最終目的は「鬼を倒すこと」でした。そこからたどっていくと、原始のアイテムは「おじいさん・おばあさん」ということになります。

昔話の冒頭で、「昔々あるところに、おじいさんとおばあさんがいました」と何気なく語り出されるおじいさんとおばあさんが、桃太郎のコンセプトを実現するためのアイテムだったという流れは、実によくできたお話だと思います。

桃太郎の成長に寄り添い、陰ながら愛情を注ぎ続けた2人の登場人物こそが、世界を救うための最も重要なアイテムだったのですから。

07 コンセプトとは

コンセプトは、アイテムの集合体によって伝えられる。

良いものを作り、世界とあなたを良くしようとするコンセプトの冒険の渦中でも、身近にある思いもよらないものがアイテムとなり、あなたを助けてくれるかもしれません。

一見、荒唐無稽なビジョンであったとしても、適したアイテムが見つかれば実現可能になります。アイテムを集めることで、ビジョンに力を与えましょう。ひいては、あなたが考える世界を良くする方法、すなわちコンセプトに適《かな》うアイテムが集まったとき、プレゼンするあなたは「ほら、僕らは世界を良くできるんだ」と伝える力を持つでしょう。

ここではじめて、ものづくりの冒険に成功の兆しが見えます。いまや勇者の剣は光を帯び、未知の雲の中の一点を指し示し始めています。

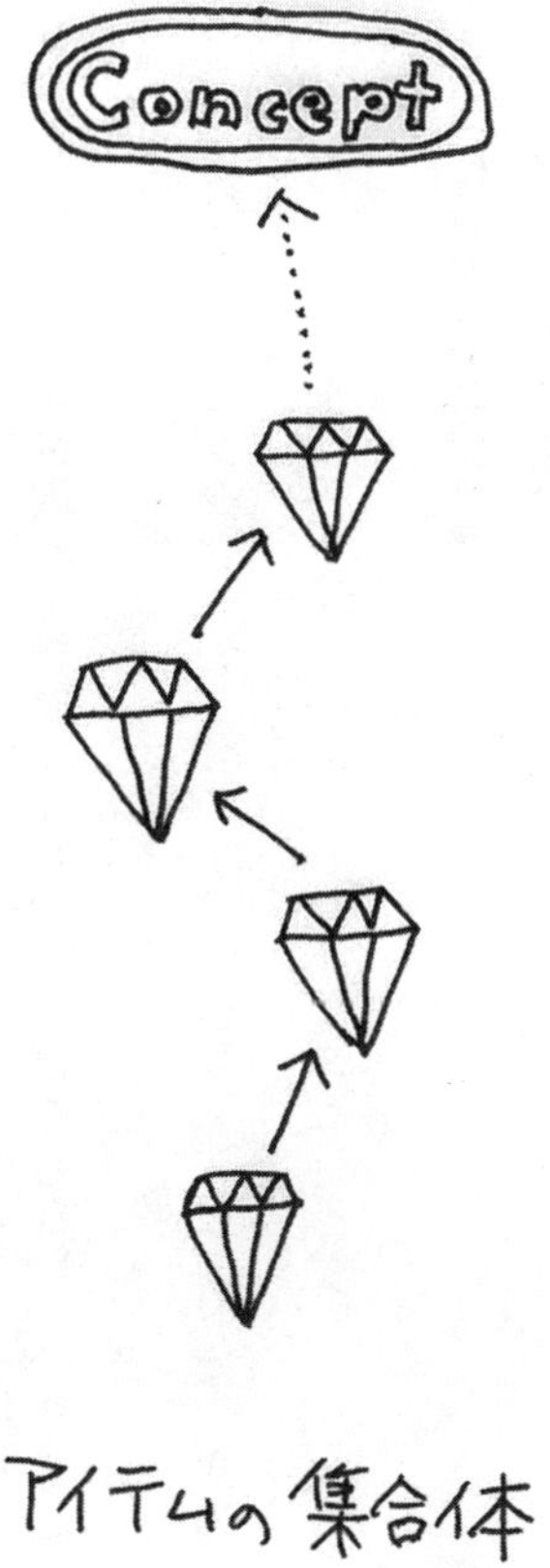
Concept
アイテムの集合体

08 何を以て何を成すか：コンセプト

コンセプトを生み出す母体はビジョンの集合体であるということ、そして、ビジョンを実現するために、アイテムを世界から選び取って物語を作らなければならないということを話してきました。

ビジョンとアイテムは、それぞれがコンセプトの半分です。つまりコンセプトは、次の２つの要素から構成されます。

① 何をしたいか？　（ビジョンの集合体）

② 何を用いるのか？　（アイテムの集合体）

この２つがコンセプトの形です。例として、任天堂のコンセプトをひもといてみましょう。

ゲーム人口の拡大：年齢・性別・ゲーム経験の有無にかかわらず誰にでも楽しめる

この言葉を、任天堂は「**戦略**」と称して掲げています。

ここでの戦略とは、いわば会社のコンセプトだと言い換えても良いでしょう。また、このコンセプトには「年齢・性別・ゲーム経験の有無にかかわらず、誰にでも楽しめる」という補足がついています。これは、本書で呼ぶところのビジョンといえます。つまり、「年齢・性別・ゲーム経験の有無」を理由にゲームをプレイしない人が多くいる現状に不満を感じていて、この状況を打破したい！　という切実で素直な願いから生まれたビジョンというわけです。

そのビジョンから、「ゲーム人口の拡大」というコンセプトが最終的に導き出されたのです。ですから、任天堂のコンセプトである「ゲーム人口の拡大」という言葉は、つまるところ次の内容を省略したものだといえます。

ゲーム人口を拡大したい！　年齢・性別・ゲーム経験の有無にかかわらず誰でも楽しめるゲームを作れば、世界を良くすることができるし、私たちもしあわせに生きていける。

すなわち、「○○したい」（ゲーム人口を拡大したい！）というビジョンの集合体と、「○

○を使う」（誰でも楽しめるゲームを使って）というアイテムの集合体からコンセプトが成り立っているわけです。任天堂は、ゲームという商品を通して、ゲーム人口を拡大することを最大の判断基準として、あらゆる事業を執り行っているといえます。社員が幸せに生きていける未来と、今よりも良い世界がその先にあると信じているのです。

数々のビジョンの中から見いだした言葉が「ゲーム人口の拡大」であり、数々のアイテムの原始に存在するものが「ゲーム」。

シンプルなコンセプトですが、まず**注目すべきは「良い」という言葉が出てこないこと**です。任天堂は良いゲームを作ろうとしていないというわけではないのですが、厳密に言うと「ゲーム人口を拡大できるようなゲームを良いゲームとしよう」と定めている、といえるでしょう。

たとえば実際に製品を作る場面においては、「この機

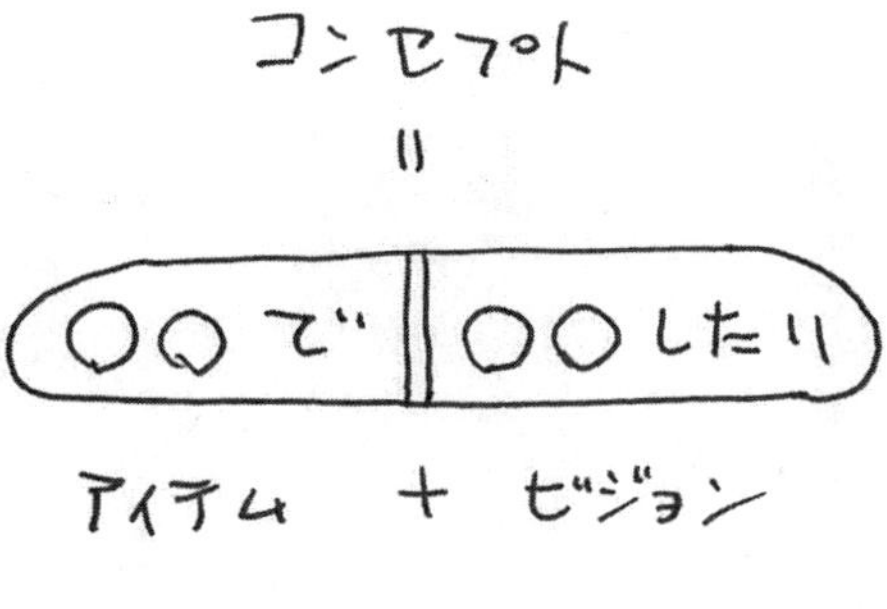

能はゲーム人口の拡大に寄与するか？」という問いを立てるわけです。その結果、もし考え抜いて出した結論が突飛なものになったとしても、それがゲーム人口の拡大に寄与すると思えるなら迷わず突き進みます。コンセプトに沿ったものであれば、既知の良さという安心がなくとも構わず踏み込むんです。

それでは、これまで見てきたコンセプトの形や役割を、改めてまとめてみましょう。

・コンセプトは、ものづくりの一部
・コンセプトは、世界を良くする方法
・コンセプトは、あなたがしあわせに生きられる方法
・コンセプトは、母国語を用いた文字20字程度の言葉
・コンセプトは、未知の良さに形を与えたもの
・コンセプトは、ビジョンの集合体から生み出される
・コンセプトは、アイテムの集合体によって伝えられる
・コンセプトは、何を用いて、何をしたいか

これが、コンセプトの定義です。コンセプトを作り、それに則して「良いもの」を作り上げること全体が「ものづくり」であり、そのためには4人の仲間が必要になるわけです。この4人は、ときにはあなた1人の中に生まれることもあれば、何百人何千人という企業全体で4つの役割を分担することもあります。

最後に、ものづくりの4つの原理を見ていきましょう。

まず「生きるあなた」には、世界を良くしようとする他3人とは異なる働きが求められます。それは、ものづくりという活動を永続的に続けていくための絶対条件である「あなた自身がしあわせに生きられること」を価値判断の基準としながら、心にウソ偽りなく素直に意見を述べることです。

あなたがゲーム会社の社員だったらと仮定してみましょう。もしゲームのことに興味がなかったとしたら、「生きるあなた」は「早く帰ろうぜ」「給料だけもらおうぜ」としか言わないでしょう。しかし、もしあなたがゲームのことを好きだったとしたら、「生きるあなた」は猛然と、「どうしたらゲームを世の中に受け入れてもらえるか?」「もっとゲームを楽しんでもらいたい!」と考え始めるはずです。

その情熱が、やがてはビジョンを生み出し、コンセプトへと結実し、ものづくりに携わる仲間全体へと波及していくことになります。ビジョンは共有され、同意され、仲間の心に火をつけることになるでしょう。

いわば、「生きるあなた」が司る原理は**「すきになる」**ことです。**【1つめの原理】**

好きになることが、ビジョンを生み出す第一歩です。好きになることが、未知の雲を払うという困難を極めた冒険を進めるための原動力になることでしょう。

続いて「コンセプトワークするあなた」は、コンセプトワークをしようと思い立つときのスタート地点を司ります。

本書を読んでいるあなたが「コンセプトを作ろう!」と決意するところから、すでにものづくりは始まっています。しかし、もしあなたが既知の良さを求めているとしたら、そもそもコンセプトなんて作る必要はありません。

「まだ世界に現れていないもの、まだ良さが理解されていないもの、誰もそれに気づいていない良さを持つ製品やサービスを作りたい！」と願うからこそ、コンセプトが必要になります。

だからこそ、いわばコンセプト作りは冒険です。未知という雲に覆われた大地の中へ突き進み、雲を切り開き、世界を広げるための戦いです。

そんな冒険を先導する勇者には、自らが未知という存在を認められるように、**変化する勇気を持つ**ことが求められます。他人に理解してもらうことはおろか、自分でも実は納得し切れていないと感じるぐらいのビジョンであったとしても、早計に切り捨てることなくあたため続け、いつかコンセプトに育つことを待てるかどうか。そういった心の広さこそが、勇者の原理といって良いでしょう。

つまり、「コンセプトワークするあなた」が司る原理は**「かわる」**ことです。**【2つめの原理】**

さらに「プレゼンするあなた」は、「コンセプトワークするあなた」から受け取ったコンセプトを、仲間に伝えるためのアイテムを必要とします。

コンセプトは「未知の良さ」を語るものですから、そのコンセプトの同意を得るには困難を極めます。

プレゼンするあなたは、コンセプトを生み出したビジョンの集合体を分析し、それぞれのビジョンに呼応するようなアイテムを世界から拾い上げ、論理関係で結びつけ、1つの物語として語らなければなりません。

やがてその物語が仲間に伝わったとき、たとえ目指すものがどれだけ未知であり、無謀な冒険に思えたとしても、皆が一丸となって突き進み始めることでしょう。**コンセプトが世界を良くする方法であり、皆がしあわせになる方法だとわかってもらうこと**こそが、プレゼンするあなたの目的です。

つまり、「プレゼンするあなた」が司る原理は「**わかる**」ことです。**【3つめの原理】**

ものづくりという活動と、個々がしあわせに生きていけることを結びつけることにより、心の底からコンセプトを「わかる」、つまり賛同できる状況を作り出していく役割を担います。

最後に「プロジェクトを行うあなた」は、物語としてのコンセプトを受け取って、いよいよ製品やサービスを制作する役割を担います。

「未知の良さ」を実現しようとしているのですから、産みの苦しみは避けられません。プロジェクトのメンバーは、現実的な問題に日々迫られながら、それでもコンセプトが指し示す「未知の良さ」に向かって走り続けなければいけません。

コンセプトを現実の製品やサービスとして生み出す間、目の前に何度も立ちふさがる厳しい状況をはねのけながら、最終的にアウトプットする「良いもの」を現実の世界に産み落とすこと、結果を出すことが求められます。

現実的に解決することが不可能だと思われる問題が、すぐ目の前まで迫ってきていたとしても、コンセプトを信じて「良いものを作る、きっとできる」と知恵を出し続ける姿勢がなければ、未知の良さを形にすることはできないでしょう。

つまり、「プロジェクトを行うあなた」が司る原理は**「できる」**ことです。**【4つめの原理】**

コンセプトをめぐる冒険は「良いもの」をアウトプットするまで続きます。コンセプトを守り運用しながら、コンセプトの目指している「良いもの」を必ず生み出せると、固く信じ続けることが求められるのです。

以上をまとめると、４人の仲間が司る原理は次のようになります。

【1つめの原理】生きるあなた：「すきになる」

↓ビジョンを生み出し共有するための原動力となる

【2つめの原理】コンセプトワークするあなた：「かわる」

↓未知の良さを志し、ビジョンとアイテムを探し続ける

【3つめの原理】プレゼンするあなた：「わかる」

↓ビジョンとアイテムを組み合わせた物語を紡ぎ出し、仲間の心に火をつける

【4つめの原理】プロジェクトを行うあなた：「できる」

↓コンセプトを守りつつ、数々の試練を乗り越え「良いもの」をアウトプットする

これら4つの原理がすべて整ったとき、いよいよ「良いもの」が近づいてくるのです。しかし、最後に1つだけお願いがあります。

4人の仲間・4つの原理が整ったとしても、それだけでは「良いもの」までたどりつけるわけではないということを理解しておいてほしいのです。

世界を揺るがすヒット商品は、今まで私たちが思いつきもしなかった「未知の良さ」を体現しています。まるで最初から、すべてお見通しだったかのようです。

しかし、作り手の側に立って考えてみてください。そんな製品やサービスだって、もとをただせば「かわる」と決めた誰かからスタートしています。世界に対するいらだちや尽きない欲望、未知という不安、熱い気持ちを伝えられないもどかしさ、プロジェクトの

現実的な課題などと戦いながら、なんとか創り上げられたものです。

相手が未知である以上、そこに正しさは存在しません。

コンセプトに100%の保証がつくことなど、あり得ないのです。どれだけ苦労してコンセプトを作ったとしても、商品やサービスを現実にアウトプットするまでは、肩にのしかかった不安が消えることはないでしょう。

私がWiiの製作に関わっていた間も、不安が消えたことは一度もありませんでした。むしろ発売日が近づけば近づくほど不安は増していき、とうとう発売日の前日には、体調を崩して胃がひっくり返りそうになっていたことを、今でもはっきりと覚えています。

――そう、コンセプトの姿を明らかにしてきた「おりていく」の最後となる本節。コンセプトの定義や、ものづくりにおける4つの役割と、それらが司る4つの原理を明確に理解できたところで、結局のところ……**不安は消えないのです。**

実際に冒険の仲間が揃ったとしても、後はのんびり歩いていくだけで目的を達成できるようなことなんて、あり得ないんです。勇者はコンセプトをつくるのみならず、ものづくりという旅の終わりまで不安と戦うという役目も帯びています。

しかし、どれだけ強く決意したとしても、ついつい迷ってしまったり辛い思いをしたりすることが、しょっちゅう起こるでしょう。そんなときは、コンセプトのコンセプト「世界を良くする」という原点を思い出してください。

どんな問題が目の前に立ちふさがったとしても、世界を良くしようとさえしていれば、「世界」と「あなた」が切り離されることはありません。コンセプトの奥底で、「世界」と「あなた」は1つにつながっています。

さらに言えば、あなたのしあわせは、冒険の仲間みんなのしあわせとつながっています。だから、あなた1人がうまくいっていないと嘆いたりしないでください。

いつか未知の雲をなぎ払えたら、あなたにも仲間にも、世界中にあたたかい太陽の光が降り注ぐことでしょう。

ものづくりを進める間は、最初から最後までが苦難の連続です。「お前は勇者なんかじゃない、未知の良さなんてものに突っ込んでいきやがって。この大馬鹿者が！」と、あなたの影は叫び続けるでしょう。

しかし、「世界を良くする」というたった1つの「コンセプトのコンセプト」を最後まで信じ続けることさえできれば、やがて道は拓きます。

心の闇を打ち負かし、コンセプトを実現させるための最後の要《かなめ》は、**信じる心**です。

そのとき、あなたは真の勇者となるのです。

コンセプトワーク

まとめ

コンセプトは、ものづくりによって世界を良くする方法であり、あなたがしあわせに生きられる方法。

数字を除く母国語の文字20字程度の言葉で表される。

素直な想いである「ビジョン」とコンセプト実現のための手段「アイテム」からなり、未知の良さを形にするために「何を用いて、何をしたいか」をまとめたものである。

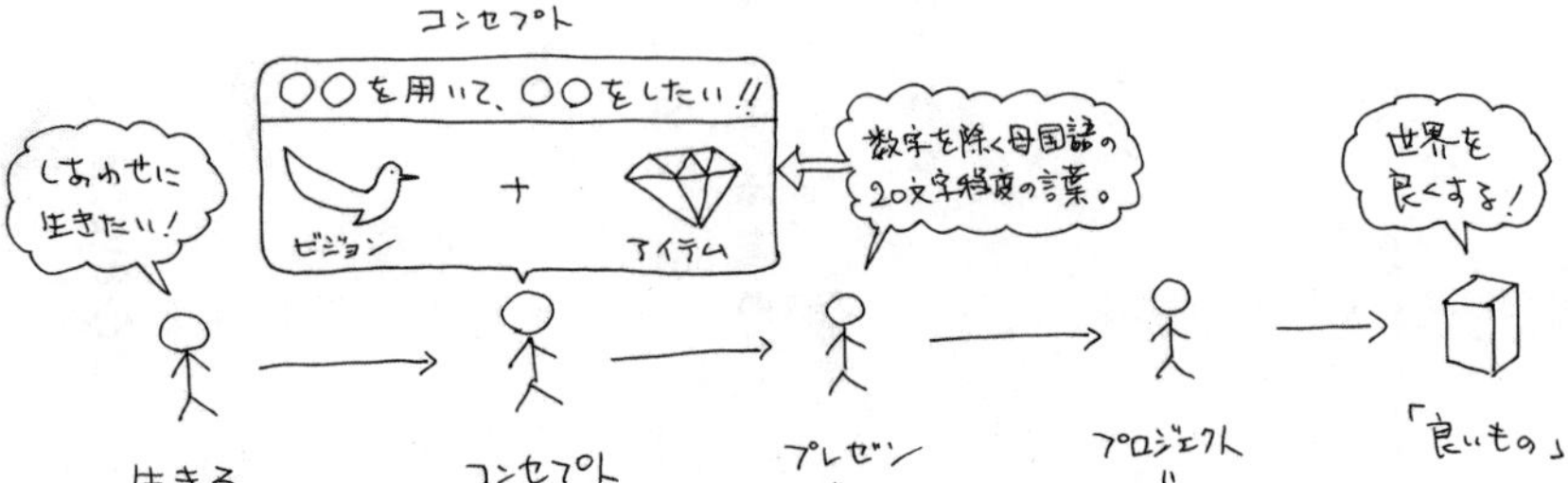
コンセプト
○○を用いて、○○をしたい!!
ビジョン
+
アイテム
しあわせに生きたい!
数字を除く母国語の20文字程度の言葉。
世界を良くする!
生きる
=
「すきになる」
コンセプト
=
「かわる」
プレゼン
=
「わかる」
プロジェクト
=
「できる」
「良いもの」

第2部

のぼっていく

コンセプトをつくる具体的なプロセス

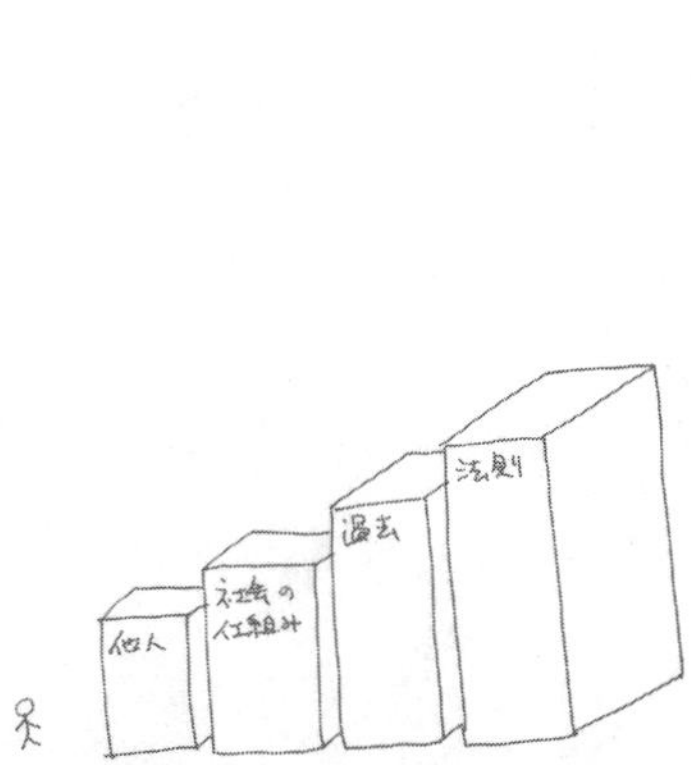

09 産声は泣き声：悪口から「すきになる」

本書も半分が過ぎ、コンセプトの奥底へとたどりつきました。

これから、いよいよコンセプトを作る具体的なプロセスに迫っていきます。

「おりていく」はいわばコンセプトというものの奥底に降りていき、コンセプトとものづくりのつながりや、コンセプトと「あなた」のつながりを見定めるまでのお話、つまり冒険の前夜だったといえます。

一方、これから始まる「のぼっていく」の章は、既知の良さの街を旅立って未知の雲を目指して突き進む本当の冒険です。

ここからは、私がもし、任天堂のＷｉｉがまだ生み出されていない時代に遡って、「次世代ゲーム機の開発をせよ」という命令を受けたと仮定して、仮想的なコンセプトワークを実際に紙面上で展開していきたいと思います。実際のコンセプトワークの流れをたどりながら、私たちが本当に戦うべき相手は何なのか、そして冒険の羅針盤となるものは何なのか、ひいては私たちはどんなコンセプトにたどりつくのか？　という具体的な答えまで、一気に見ていきたいと思います。

いわば、実際のコンセプトワークを疑似体験していただく部分です。

ただし、その道のりは長く険しいものです。まずは旅の大まかな構造を把握しておきましょう。これから私たちが見ていくコンセプトワークには、大きく分けて次の5つのステップがあります。

1.「すきになるあなた」が、悪口を言う
2.「かわるあなた」が、ズラす質問を投げかける
3.「わかるあなた」が、言葉の星座を作る
4.「できるあなた」のために、物語を作る
5.4つの人格の「影」を乗り越える

この5つのステップを1つずつ攻略すれば、世界を変えるコンセプトに近づくことができます。順を追って詳しく解説しますので、今は「5つのステップがあるのだな」と頭の片隅に置いてもらえればOKです。

さあ、ここからが本番です！

「のぼっていく」第一の試練

これからお話しするコンセプトワークの方法は、もちろん1人でもできますが、仮にあなたが1人でコンセプトワークをする立場にあったとしても、なるべく多くの仲間を集めてコンセプトを作るよう心がけてください。仲間がたった1人だけだったとしても、冒険を共にする、心強い仲間になってくれることでしょう。

コンセプトワークには、「すきになる」「かわる」「わかる」「できる」の4つの原理を理解したうえで、それぞれの特性をめいっぱいに引き出すことが求められます。ですから、1人だけでやるのは少々骨が折れます。

これに加えて、1つ大切なポイントがあります。それは、コンセプトワークを複数人で行ったとき、最終的なコンセプトそのものを発見する人はあなたである必要はないということです。あなたは、冒険の仲間たちをコンセプトワークの最終ゴールへと導くリーダーになる必要はありますが、コンセプトの発見自体はチーム全員で行えば良いのです。

あなたがやるべきことは、ただ1つ。

コンセプトワークする仲間たちを、励まし安心させてあげること。

これが、勇者たるリーダーの最大のミッションだと思ってください。コンセプトを作り上げたとしても不安は消えないんですから、コンセプトワークの最中なら、なおさらです。あなたはその都度、仲間たちを励ましたり、一緒に悩んだりすれば良いのです。

コンセプトワークは、仲間以外には頼れる者もなく、ひたすら荒野を歩き続けるような旅に似ています。未知の雲に近づくに連れて、傷ついたり絶望しそうになることもあるでしょう。そんな冒険の最中でも、前に進み続けるための凛々しくもあたたかい決意を、あなたは仲間へ伝え励まし続けましょう。

早速ですが、冒険に必要な道具を揃えましょう。必要となる道具はたった4つだけです。

大きなテーブルと、付箋とA4の紙とペン。

この4つさえあれば、世界を変えるコンセプトを生み出すことができます。

これから始まる仮想的なコンセプトワークでは、私の考え方のプロセスを一部始終あなたに追体験してもらえるように記していきます。冒険の旅路をたどりながら、コンセプトワークの重要ポイントを一緒に理解していきましょう。

それでは、コンセプトワークのスタートです!

ミッション:ゲーム人口の拡大を、新しい据置型ゲーム機の開発によって達成せよ。

コンセプトワークのテーマは、会社のコンセプトである「ゲーム人口の拡大」を達成するための新しい据置型のもの(テレビにつなぐゲーム機)。それ以外の制限はありません。それを見た瞬間、ふと脳裏に不安がよぎります。

これってつまり「次世代ゲーム機」を開発しろってことだよなぁ……。「次世代」なんて、言葉の響きはかっこいいけど、実際問題、そんなこと一体どうすればできるんだろう?たしかにうちの会社は懸命にやっている。でも他社の力は強大だ。コンセプトワークのメンバーを招集する僕の中に、明確な答えはない。答えがないことを仲間に伝えることが怖い。企画がまとまらないことが怖い。どうすれば、こんな重圧から離れられるだろうか……?

しかし、そんなことを口に出そうものなら、コンセプトワークを共にする仲間に嫌われるかもしれないし、せっかくのチャンスをふいにしてしまうかもしれない。携帯ゲーム機の部署はいいよなぁ。場所も世代も選ばないターゲット層を相手にできるなら、まだ少しは戦えるかもしれないのに……。ゲーム機の機能なら何十個も思いつくけれど、どれもこれもイマイチで決め手に欠けているようにしか思えない。

怖い――。

そんな先行き不透明な気持ちにさいなまれながら、ミーティングルームに着いた私。いわば「冒険の酒場」に仲間が集結しました。私はメンバーの顔を見渡します。集まったのは、次の6名です。

・お局様タイプの大先輩　美紅《みく》さん
・天真爛漫な後輩　葉月《はづき》さん
・純粋な後輩　真白《ましろ》ちゃん
・我《が》が強い同期　黒助《くろすけ》
・健気な新人　米吉《よねきち》くん
・「私」＝筆者　玉樹《たまき》

きっと、不安になっているのは私だけではありません。次世代ゲーム機なんて大きな企画、簡単な思いつきで生み出せるものではないことは、みんなわかっているはずです。

「何を聞かれるんだろう、不安だ」

「良いアイデアがないかと聞かれたら、どう答えよう?」

アイデアを出し合う場所では、多かれ少なかれ人はプレッシャーを感じているものです。

そんな状態で「何でもいいから発言してください」と言われても、参加者は逆に困ってしまいます。現に、私自身が「怖い」と感じてしまっているぐらいです。そこで、私が毎回コンセプトワークで使っている、ある作戦を今回も使ってみることにします。

「良いものを作る」というプレッシャーから仲間を解

放することこそが、私の役目。冒険の酒場にふさわしい雰囲気を作るところから、始めましょう。

意を決した私は、仲間たちを信じて、スタートの合図を告げました。

玉樹「おつかれさまです！　今日の進行役の玉樹です。今日は『ゲーム人口を拡大するための次世代機のコンセプトを生み出す』というテーマで、皆さんと一緒に考えてみたいと思います。お昼ご飯の後で眠いかもしれないですけど、のんびりやっていきましょうね。よろしくおねがいします！

とはいえ、困りました……。率直に言って、僕自身、すごく不安です。そんなことできるんかな？　って思うところもあります。皆さんも一緒だと思うんですけど、せっかくの仲間同士なので、楽しく進めていければなって思います。ただし、

ルール1：発言は自由だが、仲間の意見を否定してはいけない

というルールを設定しますので、これは守ってください。

まあ最初は、普段通りにくだらない話もできちゃう飲み屋さんにいるくらいのつもりでちょうどいいと思うので、ちょっとした雑談から入らせてください。

唐突ですが、美紅さん！　『好きな匂い』ってありますか？」

美紅「えー、いきなり私!?　匂い？　ん～……果物の香りとか？　グレープフルーツとか、柑橘系が好きかも。こんなのでいいの？」

玉樹「はい、ＯＫですよ。なんせ飲み屋さんでするような話を僕が望んでますから、バッチリです。柑橘系の匂いって頭がスッキリしていいですよね」

米吉「香水なら、僕はホワイトムスクの香りが好きです、神秘的っていうか、はい……」

真白「あ、それ私も好きです！　ムスクってマスクメロンっぽい香りに思えません？」

玉樹「あの～、何なんでしょうか？　〝むすく〟って……」

……こんな具合で、まずは全くテーマに関係のない話題を投げ込んで、半ば強制的に酒場っぽい雰囲気を作っていきます。こんな質問も良いかもしれません。

玉樹「突然ですけど、『無人島に持っていくなら何を持っていきますか？』」

黒助「俺なら醤油かな、かけたら何でも食えそうだから」

葉月「あー、何となくわかる、便利かも！　けど、便利っていうんなら、結局は誰か別の人を連れていくのがいちばん便利かな」

美紅「どうせあなた、その人を下僕みたいに使うんでしょ？」

葉月「いや、そんなつもりじゃ……（汗）」

玉樹「葉月ちゃん、実は支配欲求を隠し持ってたのか！（笑）」

米吉「そのツッコミはかわいそうですって！　無人島なんて怖いところ、1人でいたらすごく怖いですもん、その気持ちわかります！　誰かがそばにいてくれたら、まだ何とか夜も寝られそうな気がします」

真白「ダメだよ米吉くん。何か食べ物を集める方法がなきゃ、死んじゃうよ！」

玉樹「おーっと真白さん、相手の発言を否定しちゃいけませんよー」

真白「あー、すっかり忘れちゃってました！　ごめんなさい」

冗談半分にコンセプトワークの最初のルールにも触れられたらいいですね。

とにもかくにも、コンセプトワークのスタート直後であるこのタイミングで最も大切なのは、緊張して不安になっている**仲間の気持ちを解きほぐす**ことです。無機質な部屋の中の雰囲気を、あたたかで朗らかな酒場の空気に変えることが、勇者であるあなたの使命です。

場を和ませる話題としては、「恥ずかしい青春時代の思い出」「ここ最近で大笑いしたこと」「好きなポーズ」といったテーマを私はよく使います。冒険の仲間とはいえ、まだコンセプトワークを行う部屋の中に入って間がありませんから、お互いに何を考えているのかわかりませんし、言葉だけでうまくリラックスするのは難しいものですよね。

私がよく使う話には、こんなものもあります。

玉樹「『耳の後ろの匂い』って、嗅いだことあります？　指で耳の後ろをこすった後に嗅ぐんですけど、これがまた……犬みたいな匂いがします（汗）。大学生の頃、2、3日お風呂に入らずにいたときにふと嗅いだら、あまりの衝撃に1人部屋で笑い転げちゃいました、その後ひとしきりヘコみましたけど……。今では立派なトラウマです（笑）」

この話を放り込むと、自分の耳の後ろの匂いを嗅ごうとする人が出てきたり、そんなのイヤだ！　と騒ぐ人が出てきたりと、場が一気に盛り上がってくれる打率の高い質問です。

文章にしてみると改めて恥ずかしい話ですが、あらゆる手を尽くして酒場のような笑いの空気を作っていきましょう。題して、**必殺技「自分の恥ずかしい話をする」**です。

酒場の空気ができてきたら、いよいよ本題に入っていきます。

玉樹「もう耳の後ろに指をやらない！（笑）　そろそろ本題に入っていきましょうか。といっても『次世代ゲーム機』なんて、いきなり言われても困っちゃいますよね。僕も内心、不安だらけなんです。なので、最初は『競合他社のここがスゴイ』とか『S社がうらやましい！』とか『うちの会社のここがダメ』とか、そういった腹の内《うち》を、ざっくばらんに悪口として出し合いたいと思います。別に誰にも聞かれる話でもありませんから、思う存分、悪口を言っちゃってください！」

こんな調子でフランクに言い放ちましょう。仲間の気持ちも軽くなるはずです。

ここでのポイントは、客観的に整理された考えを求めるのではなく個人的な想い、特に**悪口を吐き出してもらう**ということです。この時点では、正しい答えや、問題に対して前向きに取り組むといった姿勢は、決して期待しないでください。仲間みんなが今まさに感じていること、思っている悪口を素直に言葉にしてもらいましょう。

このステップは、仲間それぞれの心の中にいる「生きるあなた」からの素直な本音の言葉を集めて、それを共有するのが目的です。

個人個人の素直な発言を集めれば、偏った想いも数多く浮き彫りになるでしょう。しかし、そういった**偏りこそが重要**です。いまは「偏った意見だなぁ」と思えるようなことこそ、私たちが求める未知の良さを秘めている可能性が高いのですから。

Ｗｉｉが発表された当初、「任天堂は狂った」と、いたるところで言われました。片手持ちのコントローラーで、本体も縦長で、何やらよくわからないゲームをするハード（ゲーム機本体）が発売されるらしい。そんなふうに言われていました。特に任天堂はゲーム業界では老舗の企業ですから、その伝統を打ち壊すような「異質のゲーム機」だったＷｉｉは、ゲーム業界に大きなインパクトをもたらしました。

未知の良さを含む製品・サービスは、往々にして最初は飲み込みにくいものです。これからのコンセプトワークの中でも、現実的・客観的に考えていたのでは全く飲み込めないような異端の意見も出てくるはずです。しかし、そのたびに雰囲気が悪くなってしまうようでは、そのうち不安に潰されてしまいます。

だからこそあなたの役割は、テーマに生真面目に取り組まなければいけないという束縛から仲間を解き放つことです。場の空気の停滞感などに気を配りながらも、あなた自身を束縛から解放し「生きるあなた」が発する素直な想いを吐露することにより、仲間を引っ張っていくことになります。

そこで私は、前々からゲームに対して抱えていた不満を、素直に表現してみることにしました。コンセプトをめぐる冒険の旅に戻りましょう。

玉樹「ここからは、コンセプトワークのもう1つのルール、

ルール2：発言はしっかりと声に出し、黒ペンで付箋に書いてテーブルに置く
（7センチ角程度のもので、色を統一しておく）

というルールを適用していきます。

コンセプトワークの最初にやるべきことは、競合他社を羨ましく思う点、自社の劣っている点、業界への悪口をすべて吐き出すことです。ただのグチでも、私だけかも？　って思うことでも構いません。まずは、僕からやってみますね。

これは個人的な体験談なんですけど……。

僕、ゲームをやるときは窓を閉めて、飲み物を準備して、ゲームの世界にパーフェクトに集中できる状況を作ってからゲームを始めるんです。テレビって普通につけているとバラエティ番組の笑い声とか、ＣＭの妙に記憶に残る歌とかが流れてにぎやかですよね。けれど、ゲームを始めるとき、部屋から音が消えるんです。

真っ黒な画面に『ビデオ1』って表示されているあのとき、何だか世界が閉じたような気がしませんか？　何だか世間から隔絶されたような気がして、さみしいって感じます。あのさみしさって、ゲームで遊ぼうとするときの障壁になっているような気がするんです。

せっかく楽しもうと思ってゲームを遊ぼうとしているのに、何でさみしい思いをしなきゃいけないんだろう？って思います」

私は、しょんぼりと『ゲームはさみしい（ビデオ1）』と付箋に書き込んで、テーブルに置きました。すると、半年前に結婚した黒助が悲しそうな表情で、こんなことを言い出しました。

黒助「うちの奥さん、ゲーム嫌いなんだよね。この前、『ゲームに使うぐらいなら、貯金に回してよ！』って説教くらっちゃって、小遣い減らされたんだぜ？　まぁ俺はいいダンナじゃないかもしれないけど、楽しみのゲームぐらい許してほしいよ。うちの奥さんがゲーム好きなら、一緒に気楽に遊べるんだけどな……。1人で家で遊んでるのってさみしいもんだよ」

美紅「何だかんだ言って、私たちみんなゲーム好きだからここにいるのよね」

米吉「嫌われるのって、さみしいですよね……」

玉樹「黒助ってパソコンではゲームやらないの？　テレビゲームは奥さんに隠れてやらなきゃいけないかもしれないけど、パソコンならこっそり遊べるんじゃない？」

黒助「あー。最近はネトゲ（ネットワークゲーム＝オンラインゲーム）やってるよ」

米吉「もしかして、最近出た、開発費が数十億円っていうスゴく綺麗なゲームですか？」

黒助「そうそう。ネトゲ廃人（ネットワークゲームに没頭するあまり、日常生活に支障をきたしてしまっている人たち）にならないように注意しないとマズイ。あれはマズイぞ、やめどきがわからん」

美紅「最近のゲームのグラフィック（映像表現）って本当にスゴいわよね！　お金いくら使ってんのかしら」

米吉「コアなゲーマーさんたちってグラフィックを重視しますよね。パソコンに限らず、他社さんのゲーム機のスペック（処理性能）を見てると、何だか気後れしちゃうぐらいです。グラフィックにたっぷり労力をかけた大作がミリオンセラーになって、お客さんもついていく。そういうゲームが業界を引っ張ってきた歴史があるから、お客さんの声に応えなきゃゲーム機としてヒットしないような気もします。ゲーム機がスペックで比較されることが多いのも、そういう流れがあるからだと思います」

葉月「うちの会社って、何かそういうのが苦手な感じもするなぁ」

美紅「リソース（資源＝ヒト・モノ・カネ）の確保も大変だし、厳しい現実よね……。資本力で戦うみたいなことになったら、恐ろしいことになりそう」

真白「ライバル社さんの新しい機械の噂をネットで見たんですけど、すごいスペックでクラクラしちゃいました……」

こうしたやりとりの中では、**発言の付箋化**が忘れられてしまう場合があるので、特に注意しながらコンセプトワークを続けてください。数分後には忘れ去られてしまうような何気ない発言の中に、実はヒントが隠されているかもしれません。

ここまでに出た付箋は、次の通りです。

『奥さんゲーム嫌い』『ゲーム大好き』『ゲームが嫌われるのはイヤ』
『ネトゲやってる』『ネトゲ廃人』『グラフィックがキレイな大作』
『ゲーマーはグラフィック好き』『他社は高スペック』
『スペックで比較される』『資本力の戦い』

何やら場がネガティブな流れになりつつありますが、ここであなたが心がけるべきは、ネガティブな流れを断ち切ることではありません。上司のグチを言いながら盛り上がっている飲み屋の光景のように、**ネガティブなことでも楽しく話せばいい**のです。
無理にポジティブな発言をしない、という点に注意しながら進行役を続けてください。

玉樹「ライバル社さん、やっぱり怖いですよね〜！」

葉月「しかも、そんなにお金をかけて作ったゲームも、ゲームが嫌いな人から見れば『ゲーム脳』とか言われちゃう世の中。絶望しちゃうよね」

米吉「『ゲーム脳』の話って、本当なんでしょうか……。正直なところ。ゲームを通して子ども同士コミュニケーションできるっていう良い側面だってあるはずなのに。競争心が芽生えてるのだって、他の遊びと同じはずです。何でゲームばっかり？　って思っちゃいます。画一的に批判されるのってイヤですよねー」

玉樹「よく言ってくれた、米吉くん！　付箋にして、テーブルにバーンと貼って！」

米吉くんはニコニコしながら、付箋を書いてくれました。

『ゲーム脳って言うな』
『ゲームでコミュニケーション』
『子どもの競争心を育む』

仲間がグチや悪口のようなネガティブなことを言っても、**そのまま受け止めて肯定しましょう。**もしそれが世間的には正しくないことであったとしても、です。仲間たち（遊び人の仲間たち）の本音を出してもらうのが、リーダーであるあなたの役割です。あなた自身も会話の渦に巻き込まれながら、悪口大会に拍車をかけていきます。

仲間の心の中の好き嫌いの感情に任せた素直な発言を促し、受け入れましょう。

ただし、どんなに盛り上がってきたとしても、付箋化だけは忘れないように注意しましょう。「今の話、面白い！　ちょっと書いておきましょう！」というふうに割り込んで、話の筋にナイフを入れてスライスするように、付箋に落とし込んでいきましょう。慣れるまでは違和感があるかもしれませんが、そのうち付箋をテーブルにパーンと貼るのが楽しくなります。

みんな本当は、悪口を言いたいんです。言いたいけど、社会の中で誰からも嫌われず、人づき合いの良い大人として穏やかに生きていかなければ……という無意識の制限が、悪口を言うのを許してくれないんですね。

コンセプトワーク
ステップ1

ライバルを羨ましく思う点、自社の劣っている点、業界への悪口を吐き出す

では、ここで一区切りにしましょう。ここまでに出た付箋をまとめてみます。

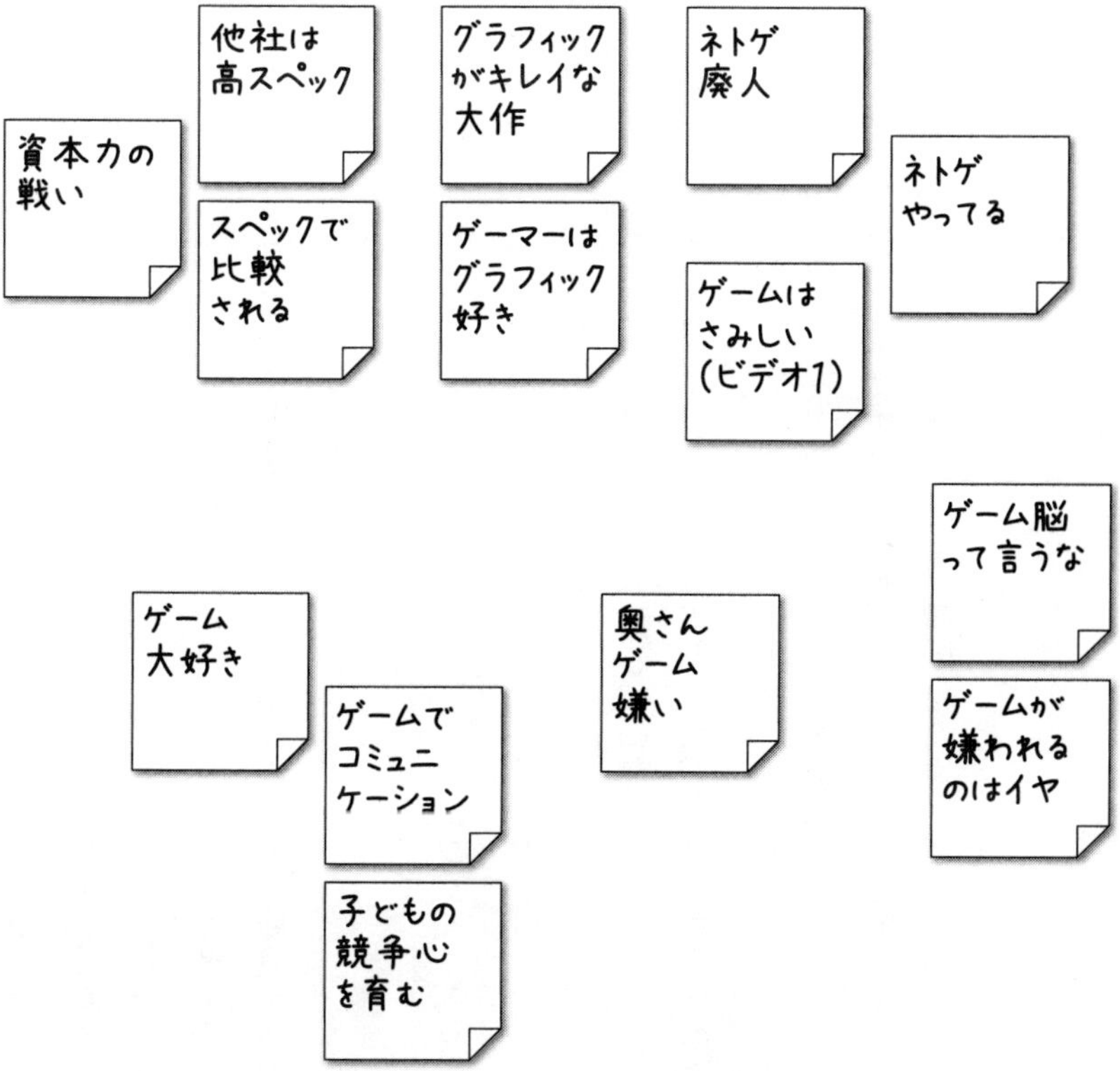
資本力の戦い
他社は高スペック
スペックで比較される
グラフィックがキレイな大作
ゲーマーはグラフィック好き
ネトゲ廃人
ゲームはさみしい(ビデオ1)
ネトゲやってる
ゲーム脳って言うな
ゲームが嫌われるのはイヤ
ゲーム大好き
ゲームでコミュニケーション
子どもの競争心を育む
奥さんゲーム嫌い

冒険の酒場で、仲間が心から素直に悪口を言い出すようになったとき、心の中の遊び人が動き出します。

たとえ誰かの想いが悪口という形で出てきたとしても、その悪口の中にはその人が持っている切実な願いが眠っていて、その**切実な願いこそが、何かを猛烈に好きにさせる力を秘めている**……そんなイメージを持ってもらえればと思います。

今、目の前のテーブルに並べられている悪口が、今後どのようにコンセプトワークに活きてくるのか？　それは、誰も知りません。

そんな状況に不安を感じるかもしれませんが、一方で、もしかすると誰か仲間の心の中に「私は本当は、こんな世界を実現したいんだ！」「隠していたけれど、私はこんなふうに生きていきたいんだ！」「私は……!!」というエネルギーが、わき上がりつつあるかもしれません。

大切なのは、個々の発言ではなく、心の底に湧き上がる「生きるあなた」の力です。

小さい頃に持っていた、童心のような**素直な気持ち**。それはやがてビジョンとなって、既知の良さに縛られた私たちを軽々と引き上げ、未知の良さまで連れていってくれるでしょう。

流れに乗って、私たちは冒険の大地を勢いよく駆け上っていきます。

10　いたずら者の知恵：ズラして「かわる」

冒険の酒場に仲間を招き、コンセプトワークのルールを確認し、仲間たちを励まし安心させる。その方法として、ステップ1では「悪口」というツールを使いました。

一見すると非生産的なツールに思えますが、素直な発言が仲間に受け入れられる雰囲気を意図的に生み出すことによって、**仲間たちの心に眠る「生きるあなた」を目覚めさせる**ことができます。その結果、冒険の地図の上には「未知の良さ」の片鱗が見え始めている……そんな状況です。

テーブルの上には、将来未知の良さへと変貌を遂げるかもしれない悪口が並んでいます。あなたに求められるのは、その悪口を言ってくれた仲間に感謝して、勇気を讃える態度です。ひと通り悪口を出し切り、たとえば「もうこれ以上、思いつかないね」というところまで来たら、次のステップへ進みましょう。

これまでに出てきた悪口は、いわば氷山の一角です。まだ出し切れない悪口が水面下に眠っていたり、予想もつかないような何かが隠れているかもしれません。

「のぼっていく」第二の試練

ここからは、冒険を共にするパーティーの盲点を見つけるために「ズラす質問」を投げかけていきます。

悪口ばかりのテーブルを見ていると、思わず「悪口をポジティブに転換すればいいのかな？」と考えてしまいがちですが、前向きで生産的でポジティブな発言を無理に求めたりすれば、仲間が貴重な悪口を言えなくなってしまいます。あなたがこのステップで企てなくてはいけないのは、悪口を最大化することです。

仲間の発言を意図的にズラして話を広げるという方法は、やり方さえわかってしまえば誰にでもできるものです。賢さ・知恵・勘・ノウハウのような曖昧なものではなく、とても具体的で応用可能な技術です。

まずは、今回のコンセプトワークの中で、私がどういった形で「ズラす質問」を投げかけていくかを見ていきましょう（ズラす質問の詳細な解説と応用方法は、144ページのコラム1で説明します）。

テーブルを見渡したとき、私の目には、一段と強い負のオーラをまとった付箋が目に留まりました。それは、『ゲーム脳って言うな』という付箋です。

ゲーム好きな仲間同士が集まっているこの酒場の存在そのものを否定しているこの言葉の奥には、さらなる悪口が鬱積《うっせき》しているはずだ——。そう考えて、おもむろに付箋を指差します。

玉樹「それでは再開していきましょう。ここからは、先ほど出してもらった付箋を元にして、さらに付箋を増やしていこうと思います。やり方はこれまでと特に変わりはありません。ただ思ったことを発言して、付箋に書いていきます。

ここで、1つルールを追加します。

ルール3：意味の似ている付箋同士は近くに、
意味の似ていない付箋同士は遠くに置く

付箋がこれから増えていくと、何となく似ているな？というものが出てきます。そんなときは、付箋同士を近

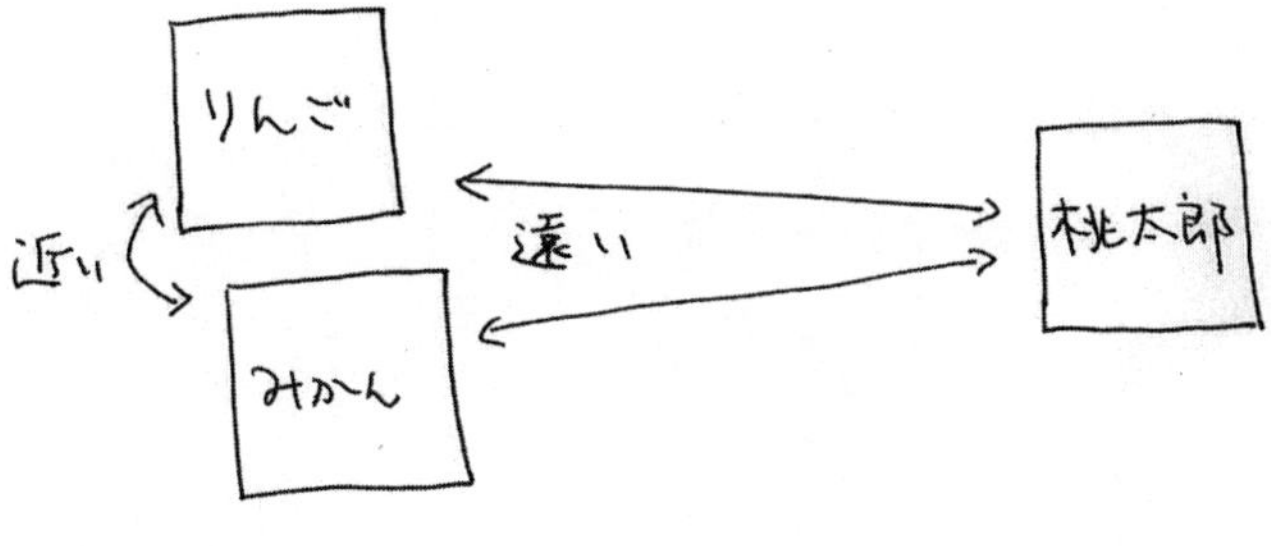

くに置いてください。逆に、全く似ていない付箋については、遠くに置いてください。

では、試しに1枚、付箋を増やしてみましょう。『ゲーム脳』という言葉について、皆さんはどう思いますか？　しっかりとまとまった考えとか理論とかじゃなくて、思いついたこと、思い出したこと、何でも大丈夫なので、聞かせてください……。それにしても、ゲーム脳っていう言葉は強烈ですね……」

黒助「ゲームを悪者にしたいだけなんじゃないの？」

米吉くんが携帯電話《スマホ》でゲーム脳について調べています。

米吉「脳科学的な側面からアプローチしていて、科学という形をとってるみたいですね。2002年頃から言われ始めた概念で、基本的にはゲームが人間に悪影響を及ぼしているのではないかと指摘されています」

真白「科学って言われると、はい、としか言えませんね……」

玉樹「もしゲーム脳が本当に事実で、考え方自体が100%正しいんだとしたら、僕たちには未来はないのかなぁ……」

この私の発言は、私の中の遊び人が言った素直な発言ではありません。私の中で「かわる」を司る勇者が、意図的にズラすための発言をしています。

ここでは、**《「ゲーム脳は科学なのかなぁ?」というまだ曖昧だったものを、強引に「ゲーム脳は科学的事実だ」と断定する解釈へと視点をズラす》**ことで、話の広がりを狙っています。

さっきまではゲーム脳という考え方を「信じたくないもの」として捉えていた仲間に、「ゲーム脳は事実だ」と飲み込むことを強いているわけですから、かなり意地悪な発言ともいえます。しかし、曖昧な解釈から一方的な断定へと話をズラすことで、仲間がその話から目を逸らすのを防ぎつつ、新しい展開や広がりを期待しているのですね。

美紅「うーん、それじゃあ私たちの仕事の意味がないわ」

真白「ゲーム脳っていう言葉を使っている人は、きっと科学的事実だって信じているからこそ口に出すんですよね……」

黒助「で、そういうことを言う人は、ほぼ間違いなくゲームをやってない」

玉樹「その可能性は高いね。じゃあ、ちょっと立場を変えて考えてみようか。ゲーム脳っていう言葉を使う人は、誰に向かってゲーム脳って言うんだろう?」

まるで聞き込み調査をする刑事のように、注意深く状況を聞き出してください。どこに突破口が開いているか、わかりません。

黒助「そりゃあ、ゲームしてる人だろ?」

玉樹「ゲームをしていない人が、ゲームをしている人に使う言葉なんだな、ゲーム脳って」

ここでは、ゲーム脳という考え方自体の是非から、ゲーム脳という言葉を誰が使うのか?と**《立場をズラして考える質問》**をすることで、話を広げることを狙っています。

美紅「イメージ的には、1人でジメジメゲームしてるっていう絵が思い浮かぶわね。テレビの前で白目をむいて前のめりで遊んでる男子、みたいな」

玉樹「それはたしかにありますね」

黒助「ゲームって、親から見れば目の敵だもんな。子どもの勉強時間を減らして、電気代がかかって、おまけに不健康。良いことなし！」

ゲーム好きには堪える言葉が続きますが、付箋へと追加していかなくてはなりません。

『男の子が1人で白目』
『ゲームは勉強時間を減らす』
『ゲームは電気代の無駄』
『ゲームは不健康』

しょんぼりした表情で付箋を足してくれた米吉くんが、突如パッと顔を明るくさせます。

米吉「あ、そうか！　1人で遊んでるから、ゲーム脳って言われちゃうんですよ！　ネットに接続して誰かと対戦していても、プレイヤーが1人でゲーム機に向かっていたらゲーム脳だし、見た人は1人用ゲームをジメジメ遊んでいるように見えちゃうんじゃないでしょうか。実際ゲームが何人で遊ばれているかじゃなくて、ゲーム機の前に何人の人がいるかが問題なんです！」

かすかに心地よい風が吹いてきました。高揚する気持ちを感じながらも、一方ではその気持ちを抑えつつ、冷静に言語化して付箋に書き留めながら話を進めていきます。

『1人で遊んでいるように見える』
『1人用ゲーム』

葉月「このまえ実家に帰ったとき、甥っ子の友達と一緒にマリオカートやったよ。めちゃくちゃ白熱したし、義姉《おねえ》さんまで盛り上がっちゃって、ゲーム脳なんて感じはぜんぜんしなかったなー。それにしても、マリオカート歴10年の私がアッサリ小学生に負けるなんて、ショックだった……」

黒助「やっぱりブランクあると腕が落ちちゃうよな。昔はタイムアタックとかスコアアタックとか、友達や弟と競い合ってたなぁ……。延々と遊べるんだよ対戦ゲームって。逆に1人だと、クリアしたら遊ぶのやめちゃう」

美紅「へぇー、黒助くんって弟いるんだ。あー、あれって何なんだろう？　兄弟のいる子のほうが、ゲームするのうまい気がしない？」

米吉「そうかもしれないですね。1人っ子って、友達と遊ぶとき以外は敵がパソコン上のプログラムだから、ある程度パターン化できちゃうんですよね。一方で、相手が人間になるとパターン化できないくらい複雑になるから、勝てなくなっちゃいます。だから普段からゲームを遊ぶ相手がいる人のほうが、ゲームがうまくなるって言えそうな気がします」

付箋は続々と追加されていきます。

『競争でゲームは続く』
『人相手のゲームは複雑』

みんなも何となく「ズラす」という感覚を楽しみ始めているようですし、もっとズラしていきましょう。

今度は**《真逆のイメージを考える》**というズラす質問を投げかけてみます。

玉樹「何だか、ゲーム脳っていう言葉のイメージが徐々に明らかになってきたような気がしますよね……。じゃあ、ゲーム脳という言葉とは反対のイメージって何でしょう？」

真白「1人でゲームに熱中してる男の子って、だいたい無表情ですよね。私のお兄ちゃんも、普段はいつもニヤニヤしてるのに、ゲームしているときはすごく無表情に見えます」

米吉「ゲーム脳は1人で遊んでいることとつながっているっていう話がありましたよね？ということは、真白さんのお兄さんみたいに、無表情でゲームしている人はゲーム脳っぽいっていうことになりますね」

葉月「じゃあ、ニコニコしながらゲームで遊んでいたら、ゲーム脳っぽくないってことかな。あ～でも、笑いながらゲームって……傍《はた》から見ると変な感じ」

美紅「あと、動かないかもね、体が。まるで大仏みたいに微動だにしないでしょ、1人でゲームしてるときって。動いてるのは指先だけ。これの逆を考えると、体が動いているっていうことが、ゲーム脳とは逆のイメージってこと？」

黒助「いいッスね、それ！　それに、集中力が凄まじすぎて、話しかけられても気づかないのもゲーム脳っぽい。よく母ちゃんから晩飯に呼ばれたのに気づかないでゲームしてたら、『もうご飯抜きよ！』って怒られたっけ。周りの声が聞こえるぐらいじゃないとダメだよなぁ……」

こうしてさらに、付箋が増えていきます。「ズラし」の質問によって場が盛り上がり、ひいては付箋が一気に増えていくときの気持ち良さは、得も言われぬ快感です。

『ニコニコしながらゲーム』
『体が動くゲーム』
『周りの声が聞こえるゲーム』

美紅「でもなぁ、何かこう、男の子がゲームでニコニコしてても気持ち悪いっていうか、女性がワイワイ楽しんでなきゃ、ダメかもしれない。男性諸君、君たちだとゲーム脳っぽい！」

葉月「そして、元気がない！　ゲームやってる子って、元気がないように見える！」

玉樹「あああ（苦笑）　たしかに元気のなさが、ゲーム脳っぽさを象徴する悪い印象につながっているのかもって思います。なるほどなぁ」

『女性がワイワイ遊ぶ』
『元気がよく見えるゲーム』

ゲーム脳という言葉の裏側に、これだけの考え方が隠れていたようです。
さらに他の付箋もズラしてみましょう。ゲーム脳の次に深刻なテーマとして、私の目に入ったのは『奥さんゲーム嫌い』です。女性の目をゲームに向けるのはかなり難しいことだと感じていたので、この付箋を手にしました。

玉樹「女性がワイワイ遊べるゲームなら、『奥さんゲーム嫌い』も解消できるかもしれないなぁ」
黒助「だめだめ、うちの奥さんゲーム毛嫌いしてるもん。ゲームで一緒に遊ぶのを無理矢理に薦めたら、ケンカになっちまったよ。ゲームで離婚危機だ」

私は『ゲームで離婚危機』と付箋に書きながら、**真逆にズラす方法**を虎視眈々と考えています。

玉樹「『奥さんゲーム嫌い』の反対って何だろうなぁ？　奥さんは何が好きなの？」

黒助「料理だな。毎日してても楽しいって。最近はミートボールをよく作ってくれるよ、いろんなソース作りを研究してるらしい」

真白「へぇ〜！　もしかして、ソースを煮込んでたりしますか？」

黒助「そうそう、鍋がブクブクいってる音が好きなんだと」

真白「いいなぁ〜！　私も今ハンバーグを研究してるんですけど、ソースって本当に無限の可能性があるんですよ！　それにハンバーグの焼き方もフライパンにするかオーブンにするかで変わってきますし、水で蒸し焼きにするか水を入れずにじっくり焼くかでも違うんです。牛肉か豚肉か、合い挽きかにするかでも迷っちゃって……」

真白ちゃんは料理がとても大好きな女の子なので、どんどん料理の話が出てきます。一見すると本筋の議論とは関係のないことに思えるかもしれませんが、変わらずに付箋化しましょう。心の奥底で、ゲームと料理がつながるかもしれません。

『奥さんは料理好き』
『鍋のブクブクが好き』
『ハンバーグは奥が深い』

ハンバーグがジュージューと焼かれている音が聞こえてくるような穏やかな雰囲気ですが、一方で冒険のリーダーであるあなたは、裏でこっそりとズラす質問を練っておく必要があります。とはいえ、発言に困ったときには、くだらない冗談でも言っておくと良いでしょう。意外と話がつながり広がっていくことがあります。ここでは、苦し紛れに冗談めかして**《一見関係のないものを組み合わせるとどうなるか?》**というズラす質問を投げかけてみました。

玉樹「ちょっとくだらないかもしれないけれど、料理のゲームでソースのブクブクいってる音がリアルに出るゲーム機だったら売れるのかなぁ（笑）」

米吉「この話の流れだと、アリかもしれないって思えるのが怖いところですね……。けど普通に考えると、料理にはあってゲームにはない何かがあるから、女性にはゲームを楽しんでもらえないっていうことじゃないでしょうか？　たとえば……料理は美容に良いとか」

黒助「そうだなぁ。何で料理をするかって、健康になれるからだよな。家族が健康になれるし、自分も健康になれる」

葉月「そうですよー、私だって昨日、お肌にいいっていう話を聞いたから、おうちで豆乳鍋でした。野菜たっぷり♪」

黒助「あぁぁ、腹へってきた……。鍋食いたいぃ」

真白「うーん、今日はお好み焼きがいいです！　うちの部署で伝説になってる米吉君の『スタイリッシュひっくり返し3連発』が見たいんです！」

美紅「あ～！　それ私も見てない！　みんな、今夜はお好み焼きにいきましょう！　それを目指してがんばりましょう！」

玉樹「じゃあ僕は日本酒を目指してがんばろうかな。ここまでの話も書いておきましょうか」

『健康にいいから料理する』
『料理で家族を健康に』
『豆乳鍋おいしい』
『鍋で野菜たっぷり』
『スタイリッシュにひっくり返す』

玉樹「こういうふうに全体を見てみると、料理に時間を使ったほうが自分にも家族にもメリットがあるから、女性はゲームには時間を充てないということでしょうか？」
葉月「私は面倒くさがりだから、料理も一応するけどパパッと済ませて、ゲームにも時間を使いたいタイプだなー。作るのに時間かかる料理って、ちょっと苦手かも」
黒助「あ、そういえば俺の奥さんも、鍋を煮込んでる間に携帯いじってることあるわ。テトリスみたいなパズルやってる」

米吉「携帯のゲームってライトなイメージがあって、僕はやってないですね……。僕、根っからのゲーマーですから。でも逆に考えると、奥様方にとってはライトなほうがとっつきやすいし楽しめますよね」

順調に付箋は増えています。

『面倒な料理はしない』
『暇潰しに携帯電話でテトリス』

ここで1つ、極めつけのズラす質問をしてみたいと思います。**《今話題にのぼっていることを、強制的に別のテーマに例えてしまう》**というものです。

直近で話題にのぼった大きなテーマは、料理とゲーム脳でしたね。この2つのテーマを踏まえて、次のように質問してみます。

玉樹「ゲーム脳って言われるようなゲームは、だいたいが1人でやりこんでいるイメージがあるって話がありましたよね。これを料理に例えるとしたら、どんな料理がゲーム脳っぽい料理と言えるでしょう？　たとえば、ミートボールのソースを煮込むのは、ゲーム脳的な料理と言えるでしょうか？」

美紅「そりゃ違うわよ。だって、手作りだし、健康に良いし……。ゲーム脳って、健康に悪いってイメージがあるじゃない？　だったら、食べれば食べるほど体に悪い料理のほうがゲーム脳っぽいわね。保存料とか添加物たっぷりのインスタント食品とかかしら？」

葉月「1人で夜中ゲームやってる男子って、たしかに連日インスタントを食べてそうね」

米吉「インスタント食品業界の人には申し訳ないですけど、イメージはありますね」

黒助「その流れでいくと、ボードゲーム（机上に置いた盤上で、サイコロやカードやコマなどを使って複数人が対面で遊ぶゲーム）系のゲームは、鍋とか焼き肉みたいなもんだな」

みんなの会話を聞いて、真白ちゃんが付箋を足していきます。控えめな彼女ですが、付箋を見ながら何かを考えているようにも見えます。

『カップ麺のようなゲーム』

『鍋みたいなゲーム』

こうして冒険の仲間たちは、空腹に耐えながらもコンセプトワークを続けるのでした。

本節での「ズラす」質問をする目的は、冒険の仲間たちが漏らした悪口に隠れている情報や想いを引き出し、悪口を最大化することです。仲間をエスコートしつつ、未知の良さに近づくためのヒントとなる悪口の付箋をたくさん集めましょう。

ただし、1つだけ注意点があります。ズラす質問を投げかけるときは、**結論ありきで質問をしてはいけません。**質問をするあなたは、あくまで「質問によって話題をズラし、新しい知見を得よう」という意図のみで質問しなければならず、あなたが考えている特定の結論に無理やり誘導するような質問をしてはいけません。

勇者が司るのは、あくまで「かわる」という原理であって、何らかの結論へと導くことではありません。**あなた自身がかわらなくては、意味がない**のです。

結論は、コンセプトワークをステップ5まで進めれば、おのずと出てくるのですから。

ステップ1では素直に発言する遊び人として、ステップ2では純粋に「かわる」を体現する勇者として振る舞ってください。

コンセプトワーク
ステップ2

強烈な負のオーラをまとっている（そこからさらに分岐して、多くの新しい悪口を生み出せそうな）悪口をピックアップしてズラす質問を投げかけることで付箋を増やす

ここまで出てきた付箋が乗ったテーブルは、次の図のようになっています。

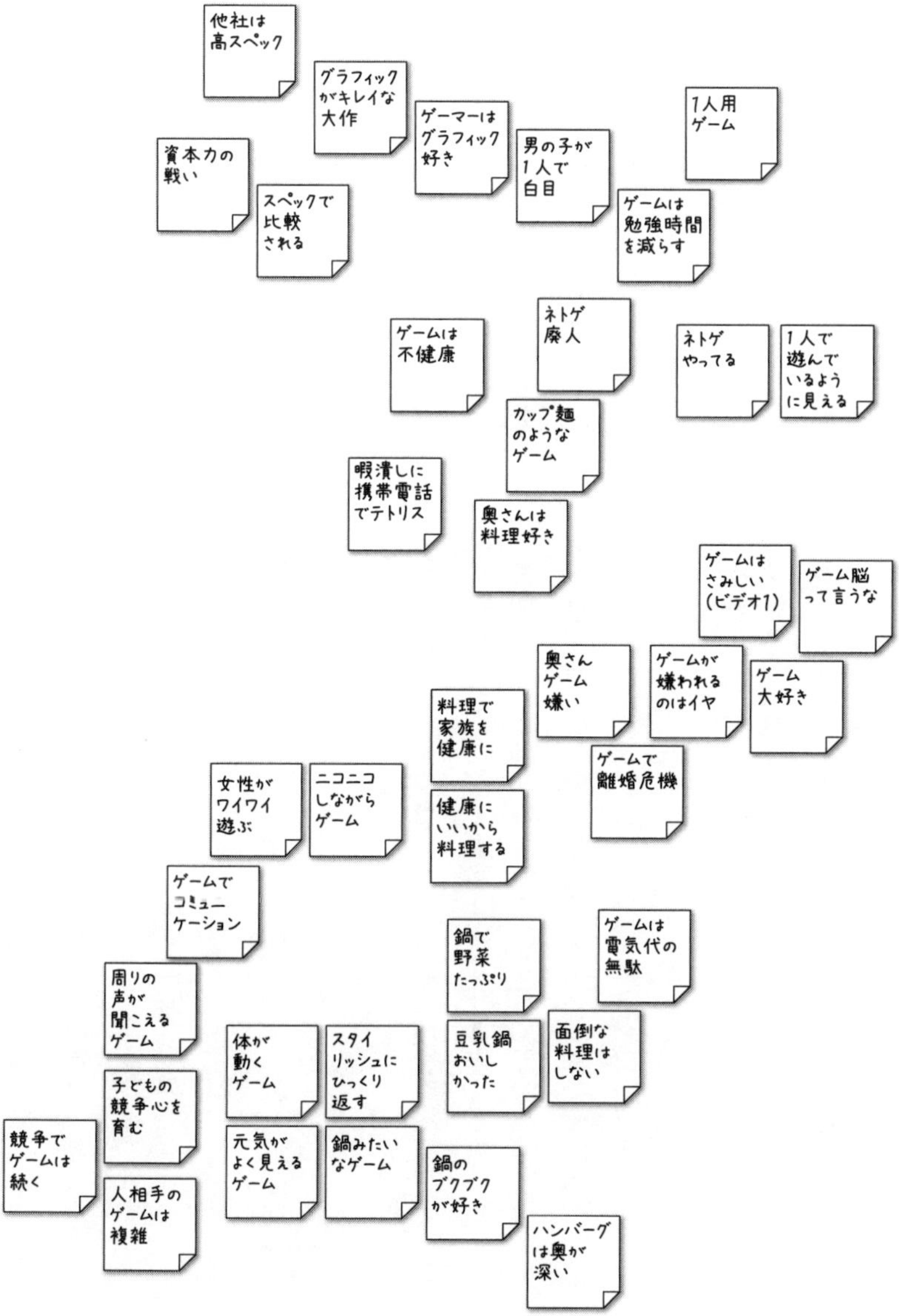

他社は高スペック
グラフィックがキレイな大作
ゲーマーはグラフィック好き
1人用ゲーム
資本力の戦い
男の子が1人で白目
スペックで比較される
ゲームは勉強時間を減らす
ネトゲ廃人
ゲームは不健康
ネトゲやってる
1人で遊んでいるように見える
カップ麺のようなゲーム
暇潰しに携帯電話でテトリス
奥さんは料理好き
ゲームはさみしい(ビデオ1)
ゲーム脳って言うな
奥さんゲーム嫌い
ゲームが嫌われるのはイヤ
ゲーム大好き
料理で家族を健康に
ゲームで離婚危機
女性がワイワイ遊ぶ
ニコニコしながらゲーム
健康にいいから料理する
ゲームでコミューケーション
鍋で野菜たっぷり
ゲームは電気代の無駄
周りの声が聞こえるゲーム
豆乳鍋おいしかった
面倒な料理はしない
体が動くゲーム
スタイリッシュにひっくり返す
子どもの競争心を育む
競争でゲームは続く
元気がよく見えるゲーム
鍋みたいなゲーム
鍋のブクブクが好き
人相手のゲームは複雑
ハンバーグは奥が深い

これだけ付箋が出てくると、少しだけ何かが見えてくる感覚がありませんか？　あなたはすでにＷｉｉというゲーム機についてご存じでしょうから、これからコンセプトワークがどういう展開になっていくのか、ある程度の予想がつくかもしれません。

しかし、ここで改めてイメージしてみてください。Ｗｉｉという商品が全く影も形もない時点において、こんな形でコンセプトワークを進めているのです……。

眼前にはソニーさん（プレイステーション３）・マイクロソフトさん（Xbox 360）という２人の巨人が立ちふさがっている絶体絶命の状況で、やれミートボールだのお好み焼きだのについて議論しています。もしかすると、真面目に将来のことを考えている仲間なら「時間の無駄だ」と感じて、ばかばかしさを通り越して腹を立てるかもしれませんね。けれど、そこであなたはグッと足を踏ん張りニッコリと笑いかけ、コンセプトワークを続ける必要があります。

「おりていく」において、「良い」という言葉の魔力に取り憑かれてはいけないという話をしました。既知の良さから離れ、未知の良さを志向する強さが、勇者には求められます。そのためには、あなたを取り巻く既知の良さから一度離れなければなりませんし、あなた自身が既知の良さから訣別しなければなりません。

　コンセプトワークに無数の「ズラす質問」を放り込んで無数の付箋をあぶり出すことは、非生産的で無駄の多い行為と映るかもしれませんが、**未知の良さを発見するためのコンセプトワークでは、実は最も生産的な活動ですらある**のです。

　あなたが自信を持って付箋の内容を「ズラす」ことこそが、冒険の仲間たちが安心して「かわる」ための条件なのです。


「ズラし」によって無数の新しい視点を得ながら冒険を進めるパーティーは、一見すると非常に順調にコンセプトに近づいているように思えます。しかしその裏では同時にこの頃、未知の雲が持つ本当の恐しさがひたひたと近づいて来ている気配が、音を立てずにパーティーの周りを覆い始めています。

コラム1　勇者のための「ズラす」9つの質問集

※このコラムは、ズラす質問のテクニックの詳細を解説するものです。そのため、本書を1回目に読む場合は飛ばして読んでいただいて構いません。実際にあなたがコンセプトワークを行う段階で読むなどして、実践に活かしていただければと思います。

ここまで見てきたコンセプトワークのステップ2は、「ステップ1で出してきた悪口をズラすことで付箋化する言葉を増やす」というものでした。このステップ2での「ズラし」の質問は、次に続くコンセプトワークのステップ3に進むうえで非常に大切なステップですので、補足知識として「9つのズラす質問集」をまとめておきます。

実際のコンセプトワークを始める前にこの質問集を覚えておけば、ステップ2において仲間とコンセプトワークを楽しみながらも、しっかり付箋を増やすことができるようになるでしょう。

勇者のための「ズラす」9つの質問集

質問例① 逆に言うと、どうなる？
さらに突き詰めていくと、どうなる？

ゲームを愛する人にとって心の底から辛く感じる「ゲーム脳」という言葉は、無意識のうちに仲間を萎縮させてしまいます。目を背けたくなるほどの辛いことや、解くことなど到底叶わないと感じられるような大きな問題に対して効果的な質問——それが、「逆に言うと、どうなる？」という質問です。先のコンセプトワークの事例では、こんなふうに使っています。

玉樹「何だか、ゲーム脳っていう言葉のイメージが徐々に明らかになってきたような気がしますよね……。じゃあ、ゲーム脳という言葉とは**反対のイメージって何でしょう？**」

その結果、次のような付箋が新たに生み出されました。

『ニコニコしながらゲーム』
『体が動くゲーム』
『周りの声が聞こえるゲーム』

また、似たような効果を持つものとして**「さらに突き詰めていくと、どうなる?」**という質問があります。現状では好ましくないと思える問題を縮小しようとするのではなく、あえて広げ伸ばしてみることで、未知の考え方に至る可能性を探るための質問です。
そして、未知に迫る考え方をするための究極的な質問が、次の問いかけです。

質問例② 悪いことを「絶対に避けられないこと、それが真実だ」と仮定すると、どうなる?

先のコンセプトワークの事例では、次のように使っています。

玉樹「もしゲーム脳が本当に事実で、**考え方自体が100%正しいんだとしたら、**僕たちには未来はないのかなぁ……」

この質問は、「ゲーム脳という問題を解決しようとするのは諦めよう」と主張しているようなものです。つまり、完全に白旗を挙げてしまいます。しかし、だからこそ仲間の心の中に眠っている遊び人に強く働きかけることができるのです。「お前は本当にそれでいいのか?」というナイフを突きつけて、より素直な言葉を引き出していきます。

先のコンセプトワークでは、この質問を起点に次のような付箋が生み出されました。

『男の子が1人で白目』
『ゲームは勉強時間を減らす』
『ゲームは電気代の無駄』
『ゲームは不健康』

ちなみに、この質問をするときはちょっと嗜虐《しぎゃく》的というか、相手がイヤな思いをするかもしれないけれど、それを知ったうえで敢えて意図的に口に出すという感覚が求められます。未知の良さを見つけるためとはいえ、ズラす質問をするには精神的な駆け引きも必要なんですね。

この質問で突破口が見えてきたら、続いて次の質問を投げかけてみましょう。

質問例③ 立場をズラしたら、どうなる？
（友達なら？　奥さんなら？　同僚なら？
行為を行う側／行われる側なら？）

この質問は、自分ではない誰かの立場に立ったり、ある行為を行う側と行われる側をひっくり返すことで視点をズラそうとする質問です。

先のコンセプトワークの事例では、次のように使っていました。

玉樹「その（ゲーマーを見てゲーム脳と罵っている人たちは、ゲームで遊んでいない）可能性は高いね。じゃあ、**ちょっと立場を変えて考えてみようか。**ゲーム脳っていう言葉を使う人は、誰に向かってゲーム脳って言うんだろう？」

コンセプトワークのメンバーは、ゲーム業界の内部にいるため、常に「ゲーム脳」という言葉を浴びせられる立場にいます。そこで、立場をズラして「言うとしたら、誰に言う？」という質問に変換することで、逆に、「ゲーム脳！」と声高に叫ぶ人たちの立場に立って物事を考えられるようになるのです。

先のコンセプトワークの事例では、「誰に向かってゲーム脳って言うんだろう?」という質問を皮切りに、〈ゲームを1人で遊んでいる男の子の姿〉と〈ゲーム脳〉という考え方が近いイメージであることを、次第に参加メンバーが気づくようになりました。ゲームの存在を全否定するゲーム脳という考え方に対し、「ゲームを遊んでいる人数の大小によって、ゲーム脳と言われる程度には差が生じる」という風穴を開けた瞬間です。

風穴を開ける質問としては、次の質問も効果的です。

質問例④　関係のない物事を、無理矢理つなげるとどうなる?

この質問を投げかける際には、目の前で議論されている付箋を2つランダムに選び出し、無理矢理くっつけてみるだけでOKです。しかもこのとき、あなたはその組み合わせが現実的かを考える必要は全くありません。先のコンセプトワークの事例では、こんなふうに使っていました。

玉樹「ちょっとくだらないかもしれないけれど、**料理のゲームで〈ソースのブクブクいっ**

てる音〉がリアルに出る〈ゲーム機〉だったら売れるのかなぁ（笑）」

『鍋のブクブクが好き』という付箋と、コンセプトワークのメインテーマである『ゲーム機』を無理矢理くっつけています。その結果、料理にあってゲーム機にないものは何か？という流れに話が発展して新しい概念の発見につながり、次のような付箋が生み出されました。

『健康にいいから料理する』
『料理で家族を健康に』

このように、コンセプトを先導する立場から適切な質問を投げかけていくことで、共にコンセプトワークという未知の冒険に挑む仲間たちのポテンシャルを引き出し、さまざまな言葉に落とし込んで付箋化できるようになるのです。

ここまで紹介した質問は、あくまでも一例に過ぎません。他にもコンセプトワークを有利に進めるために効果的な質問がありますので、次にまとめて紹介します。

質問例⑤　悪いことについて「自分も悪いことをしている」と仮定すると、どうなる？

人は誰でも、自らすすんで不幸になろうとも悪くなろうともしないものです。しかし、その習性を逆手に取って「あなたも悪い」と断言してしまうという、ちょっと意地悪な質問です。コンセプトワークの中では、次のように使えるでしょう。

玉樹「『ゲーム脳って言うな』っていう付箋がありますけど、**これって自分たちにも言えることですよね。**僕たちだって誰かに向けてゲーム脳って言ったことあるんじゃないでしょうか？　黒助あたりは言ってそうだけど……どう？（笑）」

もし先のコンセプトワークの事例の中でこのような質問を投げかけていたら、次のような展開になったかもしれませんね。

黒助「あー、そういえば俺、従兄弟のガキに言ったことあるわ！　もちろん冗談でだけど、従兄弟が集まってるときに隅っこでゲームやってる中学生男子に向かって、『おい、ゲーム脳！』って言っちゃってた……」

悪いことを真っ正面から解くのではなく、誰かの過去の体験談や、見聞きしたエピソードに取り込んでしまうことで、「テーマが正しいか正しくないか」「良いか悪いか」といった大げさな話から身近な話へと視点をズラすわけです。こうすることで、『隅っこでゲームやってる中学生男子』という新たな付箋が生み出されたかもしれません。

続いて次の質問も、これに似たアプローチの質問になります。

目の前に悪いこと・イヤなことがあったとしても、それを解決するのではなく「悪くていいじゃないか」と開き直ることで相手を懐柔させてしまうという、思い切った質問です。

質問例⑥　本音としては、どう？／建前としては、どう？

この質問は、たとえば次のような言い方に変えて使ってみるとよいでしょう。

玉樹「ゲーム脳って言われるのは辛いですよね……。でもあえて聞きますけど、**実際のところ、本音ではどう思ってます？**　ゲーム脳っていう言葉がイヤだと言ってるのって実は建前で、**本音のところでは**『どうでもいいよー、自分には関係ないし』って思ったりしてませんか？

実際のところ、僕はそれこそゲーム脳って言われてもおかしくないぐらいに長時間ゲームを遊び込んでいますけど、自分がゲーム脳だなんて、ちっとも思えないんです」

この質問には、これまで仲間を散々悩ませてきたゲーム脳という重いテーマから、フッと仲間を解放してくれるような力があります。仲間の正義感や責任感をゆるめて「生きるあなた」の声を引き出すためにも有効です。

次の質問も、悪いことを真っ正面から解くのを避けて別の切り口から攻める質問です。

質問例⑦　2つの悪いことを掛け合わせる（または、同時に引き起こす）と、どうなる？

マイナスとマイナスの付箋を掛け合わせることで、未知の何かに気づけないかを探ります。たとえば先のコンセプトワークの事例に挟み込むなら、こんなふうに使えるでしょう。

玉樹「**〈ゲーム脳〉って周りから罵られて、かつ〈ネトゲ廃人〉を自覚してるような人**って、今の世の中でどうやって生きていけばいいんでしょう？　僕もそんな感じですけど（苦笑）」

この発言では、「ゲーム脳」と「ネトゲ廃人」というマイナス要素を2つ同時に議論の的に仕立て上げています。さて、ここで思い出してほしいのは米吉くんの発言です。

米吉「あ、そうか！　1人で遊んでるから、ゲーム脳って言われちゃうんですよ！　ネットに接続して誰かと対戦していても、プレイヤーが1人でゲーム機に向かっていたらゲーム脳だし、見た人は1人用ゲームをジメジメ遊んでいるように見えちゃうんじゃないでしょうか。実際ゲームが何人で遊ばれているかじゃなくて、ゲーム機の前に何人の人がいるかが問題なんです」

「ゲーム脳」と「ネトゲ廃人」は、一見すると非常によく似ています。

しかし、米吉くんは鋭く「ゲーム脳」と「ネトゲ廃人」の違いを突いてくれました。普通のゲームは人数が増えればゲーム脳と言われないかもしれませんが、ネトゲの場合は、傍から見ると1人でやっているように見えてしまう以上、いつまでたってもゲーム脳と言われ続けそうです。

マイナスとマイナスを掛け合わせても、プラスが出るとは限りません。ただ、仮にそうなったとしても大丈夫です。今は答えを直接見つけ出そうとはせずに、あえてズラす質問をたくさん繰り出し、付箋を増やしていくことに集中しましょう。

では最後に、コンセプトワークの文脈を特に気にすることなく、どんなタイミングでも切り出すことのできる、便利なズラしの質問を2つ紹介します。

質問例⑧　時期をズラしたら、どうなる？
（来年なら？　去年なら？　朝と夜では同じ？　死ぬ直前でも同じ？）

質問例⑨　ドラマ・小説・映画・アニメ・音楽に例えるなら、どうなる？

たとえば、次のように使ってみましょう。

玉樹「ゲーム脳って、**100年後も言われてるのかなぁ……？**（時期をズラす）」

ゲーム脳という大きな壁も、100年もたてば風化しているような気分になりませんか？　そんな気分になれるだけでこの質問は効果的ですし、それまでに考えられてこなかった議論の穴を埋めることが期待できます。さらに、先のコンセプトワークの事例に沿うなら、次のような流れになるかもしれません。

葉月「100年後って、私もう死んでるから知〜らないっ」

米吉「100年後ともなると、そもそも据置型のゲーム機が存在するかすら微妙ですね」

黒助「空中にディスプレイが浮かんでそうだもんな！　そんな世界なら、もう誰もゲーム脳って言わないんじゃねーの？」

玉樹「なんで？　空中にディスプレイが浮いてたら、ゲーム脳って言われずに済むの？」

黒助「違う違う、そんな未来なら、いつだって空中にディスプレイを出して、みんなデジタル生活を満喫してるだろ？　だったら、誰でもゲームの1つや2つ遊んでそうなもんじゃないか？」

美紅「ゲーム人口が100％になってるってことね。自分もゲームで遊んでるんだから、ゲーム脳なんて誰も言わないわよね」

玉樹「なるほどー。ゲーム人口を拡大させれば、ゲーム脳っていう問題は消えるってことになりますね」

米吉「……ということは、『ゲーム人口の拡大』という方針を実現できれば、ゲーム脳という問題は自然に解決できるということになりそうですね！」

仮にこのような流れになったとすれば、ゲーム脳という問題を解決することと「ゲーム人口の拡大」という会社全体のコンセプトの実現が、イコールで結ばれることになります。ゲーム人口を拡大さえすれば、ゲーム脳という問題は無視しても構わないとすらいえます。ズラす質問の果てに生まれたコンセプトによって、目の前のピンポイントな問題は力を失ったわけです。

もう1つは、**質問例⑨の「ドラマ・小説・映画・アニメ・音楽に例えるなら、どうなる？」**ですが、こちらの具体例は、この後に出てくる引き続きのコンセプトワークの話の中で述べていきます。

以上の9つの質問パターンを覚えておけば、コンセプトワーク中の「ズラし」をスムーズに行ったうえで、付箋を増やしていくことができるでしょう。一度まとめておきます。

勇者のための「ズラす」9つの質問集

質問例①　逆に言うと、どうなる？　さらに突き詰めていくと、どうなる？

質問例②　悪いことを「絶対に避けられないこと、それが真実だ」と仮定すると、どうなる？

質問例③　立場をズラしたら、どうなる？
（友達なら？　奥さんなら？　同僚なら？
行為を行う側／行われる側なら？）

質問例④　関係のない物事を、無理矢理つなげるとどうなる？

質問例⑤　悪いことについて「自分も悪いことをしている」と仮定すると、どうなる？

質問例⑥　本音としては、どう？／建前としては、どう？

質問例⑦　2つの悪いことを掛け合わせる（または、同時に引き起こす）と、どうなる？

質問例⑧　時期をズラしたら、どうなる？
（来年なら？　去年なら？　朝と夜では同じ？　死ぬ直前でも同じ？）

質問例⑨　ドラマ・小説・映画・アニメ・音楽に例えるなら、どうなる？

さて、ここまで説明した**「ズラす」9つの質問集**は、私も実際のコンセプトワークで頻繁に使う便利なものですが、1つだけ盲点となるポイントがあるので確認しておきましょう。

それは、**「業界」**について語っている付箋です。

実際のコンセプトワークの場では、ある特定の業界に対する扱いには細心の注意が求められます。

それはなぜかというと、業界という概念は人によって「業界のことなんて考えなくても結構」と自由に考えられる人から、「業界の常識を外れては絶対にダメだ」と思い込んでいる人まで、実にさまざまだからです。業界で常識とされていることに囚われ過ぎてしまうということは、是が非でも避けなければいけません。

たとえば、昔ながらのゲーム業界であれば「Aボタンは肯定の意味があり、Bボタンには否定の意味がある」という暗黙のルールのようなものがあって、任天堂を含む既存のゲーム業界各社が従っていました。しかし、iPhoneのようなタッチパネルのみの電子機器では、そもそもボタン自体が存在しないため、このような暗黙のルールに従う必要は一切ありません。

しかし、ここでイメージしてほしいのは「もし、ゲーム会社がタッチパネルのみのゲーム機を作りはじめたら、A・Bボタンの役割をどこに持たせるだろう?」ということです。

ゲーム業界の常識から離れられない担当者なら「何としてでもＡ・Ｂボタンを作らなければ、ユーザーが意思表示できなくなってしまう！」と考えてしまい、そもそもタッチパネルのみのゲーム機という企画自体を潰してしまうでしょう。

私たちが私たち自身の感覚で良し悪しを判断しようとするとき、それが「あなたや自社の感覚」なのか「業界の常識」なのかの判別が極めて難しいことが、問題に拍車をかけています。つまり、私たちに必要になるのは「あなたや自社」と「業界」の切り分けです。そのためには、まず業界のための理解が必要となります。

そこで参考にするのは、世界的なカリスマ経営学者であるマイケル・Ｅ・ポーター氏の名著『競争の戦略』（ダイヤモンド社）で世に知られるようになった「ファイブフォース分析」という手法です。

すでにご存じの方もいると思いますが、この分析手法はコンセプトワークにおいても非常に有効にはたらきます。本書では、とてもシンプルにアレンジしたコンセプトワーク向けの手法を紹介します。急に経済っぽい言葉が文章中に踊り出しますが、冒険の中で人間ではない異なる種族に出会ったとでも思って、気持ちを切り替えて読み進めてもらえればと思います。

ファイブフォース分析は、業界の収益性を決める５つの競争要因を通して業界の構造分析を行う手法の1つで、文字通り業界を次の「5つの力」に切り分けることで業界を把握する手法です。

①供給業者　②競争業者（競合他社）　③新規参入業者　④顧客（買い手）　⑤代替品　⑥政府（法律）

ファイブフォース分析には〝影の力〟として、6つめの力である「政府（法律）」が分析に加えられていますので、「5つの力」と言いながらも、実際には合計で6つの力を見ていくことになります。

では順番に見ていきましょう。業界についての悪口を書き込んだ付箋の内容について、供給業者、競争業者、新規参入業者、顧客（買い手）、代替品、政府という順番で、1つずつ検討していきます。

たとえば、〈ゲームはさみしい〉という〝業界〟に対する悪口の付箋があり、この付箋を起点として、さらに付箋を増やしたい場合、次のような順番でファイブフォース分析にかけていき、新しい付箋を増やしていきます。

「この**業界の問題を示している付箋**は、まだまだ分岐させる必要がありそうだな」と感じたときに、気軽に放り込んでみてもらって構いません。
具体的には、次の6つの質問をコンセプトワークの仲間に投げかけてください。

①〈ゲームはさみしい〉という問題は、供給業者の供給力や原材料そのもの（供給業者）が原因となって引き起こされている問題だろうか？」

まず**①供給業者**について仮説を立てていますが、どうやらその可能性はないといえそうです。

ここでいう供給業者とは、ゲーム機でいうところの電子機器やプラスチック素材などの原材料を供給している供給業者を指しています。

たとえば、素材そのものが新しくなったり、流通網が整備されて供給能力が10倍に増えたりした場合に、〈ゲームはさみしい〉という問題がなくなるかというと、その可能性は低いといえるでしょう。

その結果、供給業者は〈ゲームはさみしい〉という問題とは、特に関係がないという判断ができそうです。

②「〈ゲームはさみしい〉という問題は、競争業者（競合他社）が原因となって引き起

こされている問題だろうか?」

この**②競争業者（競合他社）**は、〈ゲームはさみしい〉という問題の原因となっている可能性がありそうです。たとえば、業界のなかで最も売上額の高い分野は、グラフィックの美しさを追求したハイスペックな1人用ゲームであるため、ゲーム機メーカーは「1人用ゲーム機を作り続けなければならない」という暗黙の了解のもとで競争している側面がありそうだという判断が出てくるでしょう。

この分析からは、『1人用ゲームは大きなシェアが見込める』といった付箋を追加することができそうです。

③「〈ゲームがさみしい〉という問題は、新規参入業者が原因となって引き起こされている問題だろうか?」

この**③新規参入業者**も、〈ゲームはさみしい〉という問題の原因となっている可能性がありそうです。

②の競争業者（競合他社）の分析では「業界の中で最も売上額の高い分野は、グラフィックの美しさを追求したハイスペックな1人用ゲームである」ということがわかっています。

つまり、1人用ゲームの分野で競合他社と渡り合うには多大な技術力と資本が必要となりますから、リソースは少ないけれどアイデアで勝負する新規企業にとって参入しづらい側面がありそうだと考えられます。逆に新規参入される側から見れば、こんなふうに解釈できます。「リソースがかかる1人用ゲームが流行っている限り、今のゲーム業界にいる既存の会社は新規参入を防ぐことができる」。

この分析をもとに、『1人用ゲームを作るには膨大なリソースが必要』といった付箋を追加することができるでしょう。

④「〈ゲームはさみしい〉という問題は、顧客が原因となって引き起こされている問題だろうか?」

この質問から連想される③**顧客**は、古くからのゲームファンの方々です。

昔は1人用ゲームが主流だったという歴史的な経緯から、1人用ゲームを好む傾向があって、濃いファン層を形成しています。そういった濃いファン層をターゲットに置いた場合、1人用ゲームがまず候補に挙げられることになるでしょう。

この分析からは、『1人用ゲームには根強いファンが存在する』といった付箋が追加されるでしょう。

⑤「〈ゲームはさみしい〉という問題は、代替品が原因となって引き起こされている問題だろうか?」

ゲームを④**代替する何か別の遊びや商品**があるからこそ、〈ゲームはさみしい〉という現象が起きているか? という問いですが、むしろ現実は逆です。

コアなゲーマーでも満足できるような、やりこみ要素の多い1人用ゲームは、ゲームの歴史を振り返ってみてもゲームの花形といえるものでしたし、ゲーム機のシェアを大きく左右する重要なポジションを占めていました。だからこそ1人用ゲームは作り続けられてきたわけですね。

ですから、付箋としては『1人用ゲームはシェアを最も左右できるジャンルのゲームだ』といった付箋を追加することができるでしょう。

⑥「〈ゲームはさみしい〉という問題は、政府(法律)が原因となって引き起こされている問題だろうか?」

この質問では、特に⑥**政府**が「1人用ゲーム機しか作ってはいけない」という規制をゲーム業界にかけているわけではないので、関係がないと判断できます。

このようにして、業界の問題をはらんだ付箋をファイブフォース分析に1つずつかけていき、付箋を増やしていきましょう。そして、ここまでに出てきた新しい付箋をまとめてみます。

『1人用ゲームは大きなシェアが見込める』←**②競争業者の分析から**
『1人用ゲームを作るには膨大なリソースが必要』←**③新規参入業者の分析から**
『1人用ゲームには根強いファンが存在する』←**④顧客（買い手）の分析から**
『1人用ゲームはシェアを最も左右できるジャンルのゲームだ』←**⑤代替品の分析から**

※**①供給業者や⑥政府**の分析からは〈ゲームはさみしい〉という問題との関連性が見出せなかったため、新しい付箋を生み出すことはできませんでした。

これらの新たな付箋を足した状態でコンセプトワークを続けていきましょう。
今回の場合でいえば、ファイブフォース分析で出てきた4つの付箋を、みんなで、順番にゆっくりと読み解いていきます。

……『1人用ゲームは大きなシェアが見込める』……『1人用ゲーム機を作るには膨大

なリソースが必要』……『1人用ゲーム機には根強いファンが存在する』……『1人用ゲームはシェアを最も左右できるジャンルのゲームだ』……。

何か気づくことはありませんか?

ポイントは「業界シェア」です。

1人用ゲームが多いのは、業界内でのシェア争いが原因ではないか? という仮説が生まれてきそうです。

ということは、自社の業界シェアの大きさは、そもそものコンセプトワークのテーマである「ゲーム人口の拡大」に特に貢献しませんから、シェアを考えている段階で会社のコンセプトに合致しないはずです。だったら、そんなものに優先順位を割く必要はないのではないだろうか。こういったふうに考えを推し進めることができるでしょう。

ここまで考えることができなくても、「あ、そういえば業界シェアなんて考え方もあるよね、忘れてた!」と気づくだけでも〝めっけもん〟です。この流れの中で、コンセプトワークのテーブルに「業界シェア」というグループが生まれると、他の付箋やグループと相互作用が起こり、テーブル全体が変化していくはずです。

その結果、「今までは無意識で自社のシェアのことを考えて良し悪しを判断していたかもしれない……これではダメだ！　コンセプトワークのテーマはあくまで『ゲーム人口の拡大』であって、シェア拡大じゃなかった！」と、参加メンバー全員で改めてコンセプトワークの目的を再確認しつつ、暗黙的な思い込みを脱ぎ捨てられるかもしれません。

そうなったら、続くコンセプトワークの中で、こんなふうに質問を投げかけてみるのも効果的でしょう。

「1人用ゲームがさみしいっていう話があったけど、そもそもゲーム業界って、どうして1人用ゲームばっかり作ってるんだろう？　1人用っていうぐらいだから、1人しかユーザーは増えないはずなのに……。もしかして、僕らってゲーム人口じゃなくて、業界内のシェア向上ばかりに目を奪われているんじゃないだろうか？」

このように、ちょっと視点をズラすだけでコンセプトワークの本来の目的に適った流れを作り出せます。自分たちがいちばんよく知っている「業界」だからこそ、見落とされた考え方、漏れているのが、きっとあるはず……ぐらいの心構えがちょうど良いように思います。この意識の違いが、コンセプトワークの明暗を分ける鍵となるのですね。

『ゲームはさみしい』といったような〝業界〟の問題に属しそうな付箋をファイブフォー

ス分析にかけることで、業界の常識の枠に囚われることなく、自由な発想でコンセプトワークを前に進められるようになるでしょう。

ズラす質問とファイブフォース分析を投げかけるのは、慣れるまでは少し難しく感じるかもしれません。しかし、まずは「習うより慣れる」ぐらいの気軽な気持ちで質問を投げかけてみてください。

そもそも「答えをイメージできていない状況にもかかわらず、仲間にとりあえず質問をふってみる」という行為自体に違和感を覚えるかもしれません。しかしあくまでも、あなたは答えを見つけるのではなく「ズラす」ことだけが役割だということを忘れないでください。

答えはきっと、仲間が見つけてくれます。リーダーであるあなたが「ズラす質問集」と「ファイブフォース分析」を使いこなせば、その分だけ付箋の数は増え続けるでしょう。

そして付箋の数が多くなればなるほど、「未知の良さ」を叶えるコンセプトは近づいてきます。

11 星座を見つける ‥ まとめて「わかる」

ここまででテーブル上に出された付箋は40枚。それらは「似ているものは近くに、似ていないものは遠くに」というシンプルなルールのもと、微妙にくっついたり離れたりしながら、全体として1つの構造を成しつつあります。

それはまるで、仲間が発した言葉1つ1つが星になって、宇宙空間を形作っているかのようです。

テーブル上の付箋はやがて、たった1つのコンセプトへと結実していくのです。

宇宙全体が1つのメッセージとなってきます。ステップ3はそのための準備段階です。

「のぼっていく」第三の試練

コンセプトワークへと戻りましょう。次に必要なことは、局所的にグループ化できる付箋群を探すということです。

さながら夜空の星たちの中から星座を探すように、互いが近くに寄り添う運命にある言葉の付箋群を見つけ出しましょう。星座たちはやがて宇宙空間を飛び回り、1つの物語を紡ぎ出すかもしれません。

◈

玉樹「そろそろ付箋も良い感じに出てきたので、簡単に付箋をグループ化していきましょう。

今出ている付箋は40枚ぐらいですね。すでに似たもの同士が近くに置かれた状態になっていますが、これからは一歩発展させて、明確なタイトル付きのグループを作っていきたいと思います。

グループ化のコツは、直感に従うことです。付箋をボーッと眺めていると、何となく近いというか、ゆるいつながりが見えてきます。思いついたところから、順番に並べ換えていきましょう。

何らかのグループを思いついたら、その中に含まれそ

うな付箋を手に取って読み上げて、「こんなグループを作れそうだ」と提案してもらえればと思います。その後、特に異論がないようであれば、Ａ４の紙の上にグループ名を赤ペンで記入して、付箋をテーブルから移し替えます。たとえば、こんなふうに。

（それぞれの付箋を手に取りながら）『ゲームはさみしい（ビデオ1）』『1人用ゲーム』『男の子が1人で白目』『カップ麺のようなゲーム』『ネトゲ廃人』という付箋をまとめて、**〈1人でする〉**というグループが作れそうですね。この付箋をＡ４の紙に貼ってまとめていきます。

　こんな感じです！」

葉月「じゃあ**〈複数人でする〉**っていうグループも作れそう。『女性がワイワイ遊ぶゲーム』『競争でゲームは続く』『人相手のゲームは複雑』『鍋みたいなゲーム』『子どもの競争心を育む』で、1つのグループ！」

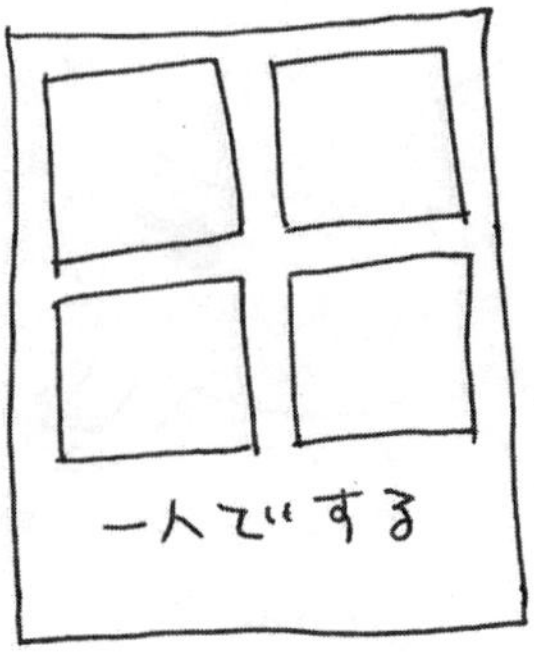

周りの反応を見て、別の意見がなければ、付箋をまとめていきます。

まずは、**〈1人でする〉〈複数人でする〉**というグループができました。

グループ化1：似た要素・近い内容の付箋を集め、そのグループをくくるグループ名をつけて、A4の紙の上にまとめる

美紅「じゃあ、**〈料理〉**っていうグループは作れない？ あ、でも『鍋や焼肉のようなゲーム』が**〈料理〉**のグループにも入りそうだけど、**〈複数人でする〉**の中にも入りそうよね。こういう場合は、どうしたらいいのかしら？」

玉樹「えーっと、こういう場合はちょっとコツがあるんですけど、**〈料理〉**というのはいろんな要素を含んでい

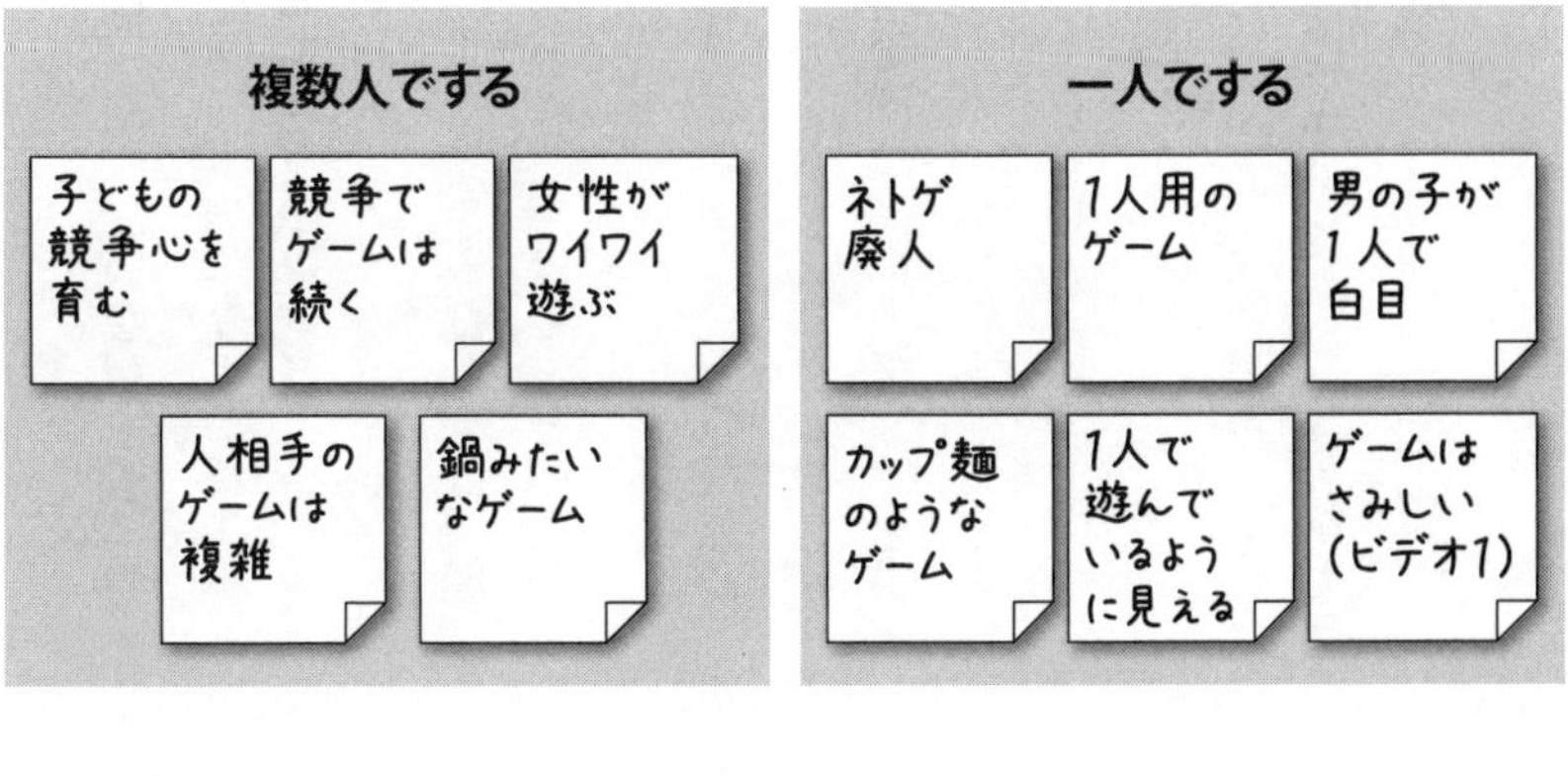

一人でする
ネトゲ廃人
1人用のゲーム
男の子が1人で白目
カップ麺のようなゲーム
1人で遊んでいるように見える
ゲームはさみしい（ビデオ1）
複数人でする
子どもの競争心を育む
競争でゲームは続く
女性がワイワイ遊ぶ
人相手のゲームは複雑
鍋みたいなゲーム

ますよね。今出ている料理に共通する付箋として考えられるのは、『鍋みたいなゲーム』『奥さんは料理好き』『鍋のブクブクが好き』『ハンバーグは奥が深い』『健康にいいから料理する』『料理で家族を健康に』『豆乳鍋おいしかった』『鍋で野菜たっぷり』『スタイリッシュにひっくり返す』『面倒な料理はしたくない』でしょうか。

これらを眺めていると、**〈料理〉**以外のさまざまなグループが見えてきます。たとえば、**〈健康〉〈簡単な料理〉〈あたたかい食べ物〉**……もう少し大きく捉えるなら、ほとんどの付箋を**〈女性〉**というグループでまとめることもできそうですね。

〈料理〉というグループは、たくさんの要素を含んでいる上位概念のようなものだと言えそうです。この上位概念をグループ名にしてしまうと、他のグループとのつながり方が複雑になってしまいがちになるのが困りものです。そこで、**〈料理〉**はグループ分けをするには大雑把すぎるので、もっと細かいグループに分けることをおすすめします。おおよそ最大でも付箋8枚ぐらいまでで、1つのグループにするとちょうど良いと思います」

美紅「ふーん。じゃあ、ひとまず**〈健康〉**というグループだけでまとめたらどうかしら？今の話に沿っていくなら、『健康にいいから料理する』『料理で家族を健康に』『豆乳鍋おいしい』『鍋で野菜たっぷり』をひとまとめにしてもいいんじゃないかな」

新たに〈**健康**〉というグループができました。

真白「『スタイリッシュにひっくり返す』と『ニコニコしながらゲーム』と『ゲームでコミュニケーション』の付箋は、〈**笑う**〉というグループにしたらどうですか？」

玉樹「その分け方は面白いですね。上位概念とも呼べそうですけど、面白そうだから、ひとまずグループ化しておいてもいいんじゃないでしょうか。」

真白ちゃんが〈**笑う**〉というグループ名を記入して、付箋をまとめていきます。

米吉「『面倒な料理はしない』と『暇潰しに携帯電話でテトリス』と『ゲームは電気代の無駄』の付箋は、労力・時間・お金の〈**節約**〉という意味では1つのグループにできそうですが……」

黒助「うちの奥さんは、料理時間の効率化自体が趣味な感じだからなぁ。携帯でテトリスをするのは、あくまでその結果生まれた時間でちょっと手軽に遊ぶ、みたいなニュアンスだと思う」

葉月「じゃあ『面倒な料理はしない』『暇潰しに携帯電話でテトリス』を、**〈手軽〉**というグループにするのはどう？　あと、ちょっと思ったんだけど、『ゲームは電気代の無駄』を**〈節約〉**にして、新たに『料理はお金を節約できる』という付箋を増やして一緒にしたらどうかな？　自炊って、節約できるし」

玉樹「それは名案ですね。新たに出てきた付箋化できそうな言葉は、どんどん付箋に書き出していきましょう！　**〈節約〉**と**〈手軽〉**というグループは、今の話でまとめてＯＫだと思いますが、皆さんどうでしょうか？」

皆がうなずくのを見ながら、葉月さんが**〈節約〉**と**〈手軽〉**のグループを追加しました。そして、新たな付箋が追加されます。

『料理はお金を節約できる』

真白「もう1つ思いついたんですけど、いいですか？　『鍋のブクブクが好き』っていう付箋についてです。料理を食べてくれる人のことを考えながら、おいしくな～れって鍋におまじないをかけているときって、思わずしあわせを噛み締めちゃうんですけど……鍋の音って、そんなしあわせな気持ちの象徴みたいだなって思うんです。グツグツいっている鍋の近くにいるとそれだけでしあわせになれるんです。食べてくれる人がいるから、たぶん料理って続くんだと思います」

黒助「カーッ！　うらやましい。その発言、うちの嫁に聞かせたい！」

真白ちゃんが、うれしそうに付箋を付け足しました。

『誰かが喜ぶから料理する』

美紅「たしかに食べてくれる人がいると、少しくらい手間がかかってもしっかり作ろうって気持ちになるわよね。**〈人が喜んでくれる〉**というグループを作って、『奥さんは料理好き』『鍋のブクブクが好き』『ハンバーグは奥が深い』『誰かが喜ぶから料理する』をまとめてもいいんじゃないかしら？」

玉樹「何だか優しい気持ちになれるグループ名ですね。心があたたかくなります」

美紅さんが、**〈人が喜んでくれる〉**というグループを追加しました。

ここまでで、**〈一人でする〉〈複数人でする〉〈健康〉〈笑う〉〈節約〉〈手軽〉〈人が喜んでくれる〉**という、7つのグループが見つかりました。ステップとしてまとめると、次のようになります。

グループ化2：上限8枚ほどで、小さいグループに分ける

グループ化3：グループ化の過程で、そのグループに入りそうな新しい付箋を思いついたら、その場で付箋に書き込み、そのグループに入れる

玉樹「そうこうしているうちに、料理系の

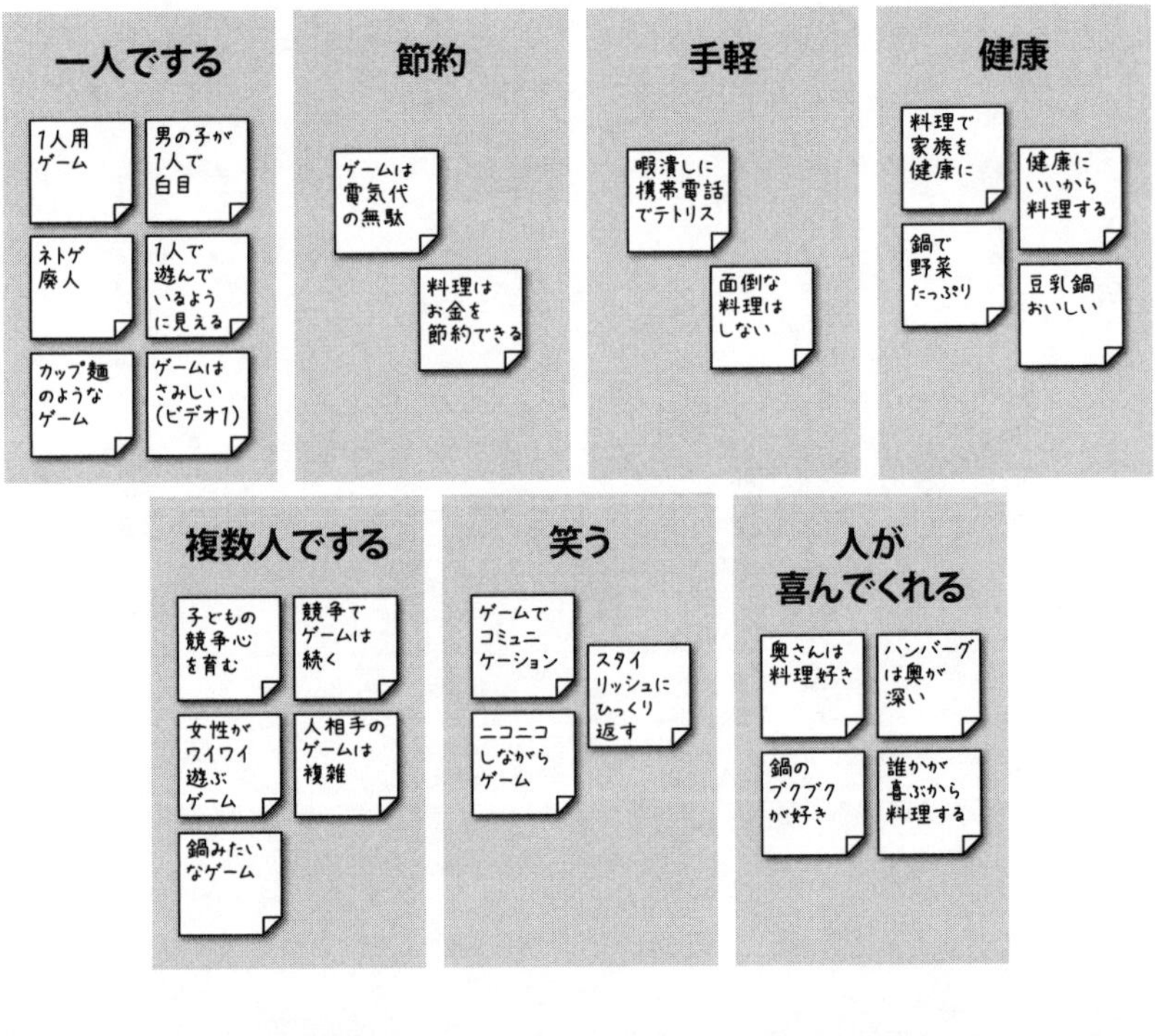

一人でする
1人用ゲーム
男の子が1人で白目
ネトゲ廃人
1人で遊んでいるように見える
カップ麺のようなゲーム
ゲームはさみしい(ビデオ1)
節約
ゲームは電気代の無駄
料理はお金を節約できる
手軽
暇潰しに携帯電話でテトリス
面倒な料理はしない
健康
料理で家族を健康に
健康にいいから料理する
鍋で野菜たっぷり
豆乳鍋おいしい
複数人でする
子どもの競争心を育む
競争でゲームは続く
女性がワイワイ遊ぶゲーム
人相手のゲームは複雑
鍋みたいなゲーム
笑う
ゲームでコミュニケーション
スタイリッシュにひっくり返す
ニコニコしながらゲーム
人が喜んでくれる
奥さんは料理好き
ハンバーグは奥が深い
鍋のブクブクが好き
誰かが喜ぶから料理する

付箋は何かしらのグループに入ってきましたね。後は、ゲームに関与している付箋をまとめていきましょうか」

米吉「では、僕の順番かな。『他社は高スペック』『スペックで比較される』『ゲーマーはグラフィック好き』は、**〈スペック〉**というグループ名でどうでしょうか？」

玉樹「お、きたね。じゃあ、この3つの付箋をグループ化してもいいでしょうか？」

特に意見がないようなので、米吉くんが**〈スペック〉**のグループを作りました。

黒助「その流れでいくと、『グラフィックがキレイな大作』『資本力の戦い』は、**〈大作ゲーム〉**というグループだな」

葉月「あと、**〈ゲーム脳〉**というグループを作って、『ゲーム脳って言うな』『ゲームは不健康』『ゲームは勉強時間を減らす』もまとめられそうね。」

真白「私は**〈躍動感〉**というグループを作りたいです。『体が動くゲーム』『元気がよく見える**ゲーム**』を一緒にしてもいいですか？」

みんな勢いづいてきました。各人の発言に対してメンバーの同意を得ながら、まとめていきましょう。特に物言いはなさそうなので、**〈大作ゲーム〉〈ゲーム脳〉〈躍動感〉**の3つのグループができました。

玉樹「あと残っているのは、『奥さんゲーム嫌い』『ゲーム大好き』『ゲームが嫌われるのはイヤ』『ネトゲやってる』『周りの声が聞こえるゲーム』『ゲームで離婚危機』という6枚の付箋ですね」

黒助「うーん。ちょっとこの6枚だと、いまいちグループ名が見えてこないなぁ……」

美紅「そうねぇ。こういったときはどうすればいいのかしら？」

玉樹「たしかに、ちょっとグループ化は難しそうな気がします。無理にグループ化せずに、これらの付箋はいったん脇に置いておきましょうか」

グループ化4：どのグループに入れるべきか判断に迷う付箋がある場合は、無理にグループに入れず、そのまま置いておく

この段階までくると、仲間たちはそれなりにコンセプトワークの要領を得てきています。この勢いに乗って、詰めの一手を仕掛けていきましょう。

玉樹「今、だいたい10個ぐらいのグループが出てきました。**〈1人でする〉〈複数人でする〉〈健康〉〈笑う〉〈節約〉〈手軽〉〈人が喜んでくれる〉〈大作ゲーム〉〈ゲーム脳〉〈スペック〉〈躍動感〉**。

こうして見ると、グループの間にも、ゆ

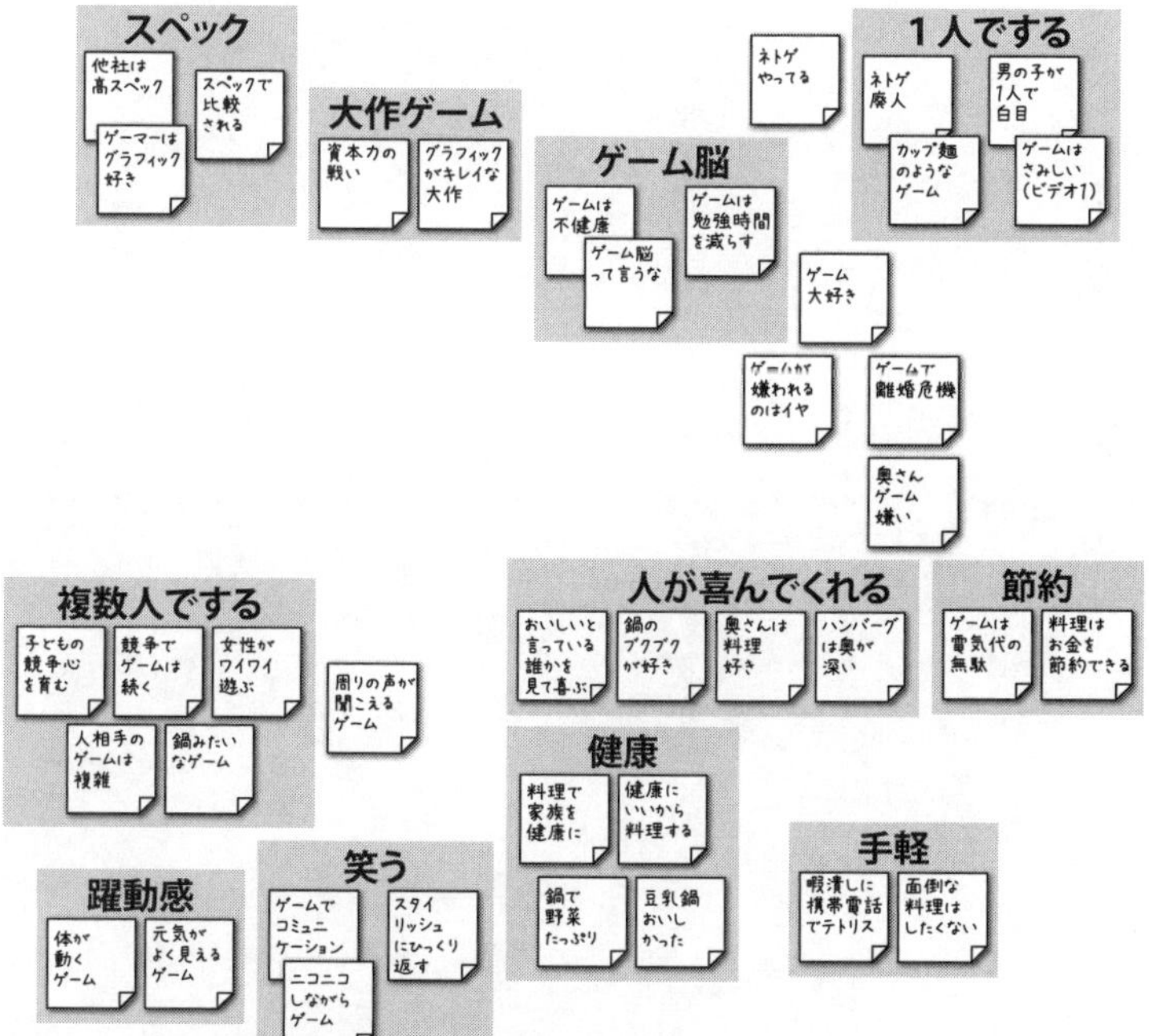

スペック
他社は高スペック
スペックで比較される
ゲーマーはグラフィック好き
大作ゲーム
資本力の戦い
グラフィックがキレイな大作
ゲーム脳
ゲームは不健康
ゲーム脳って言うな
ゲームは勉強時間を減らす
ネトゲやってる
1人でする
ネトゲ廃人
男の子が1人で白目
カップ麺のようなゲーム
ゲームはさみしい(ビデオ1)
ゲーム大好き
ゲームが嫌われるのはイヤ
ゲームで離婚危機
奥さんゲーム嫌い
複数人でする
子どもの競争心を育む
競争でゲームは続く
女性がワイワイ遊ぶ
人相手のゲームは複雑
鍋みたいなゲーム
周りの声が聞こえるゲーム
人が喜んでくれる
おいしいと言っている誰かを見て喜ぶ
鍋のグツグツが好き
奥さんは料理好き
ハンバーグは奥が深い
節約
ゲームは電気代の無駄
料理はお金を節約できる
健康
料理で家族を健康に
健康にいいから料理する
鍋で野菜たっぷり
豆乳鍋おいしかった
手軽
暇潰しに携帯電話でテトリス
面倒な料理はしたくない
躍動感
体が動くゲーム
元気がよく見えるゲーム
笑う
ゲームでコミュニケーション
スタイリッシュにひっくり返す
ニコニコしながらゲーム

るいつながりが見えてきそうですね。それぞれのグループの紙の位置を調整してみましょう。ただその前に、まだ出し忘れていそうな付箋があるようだったら、今のうちに加えておきましょうか」

美紅「そういえば黒助くん。健康ネタで思い出したんだけど、最近あなたがよく事務所のキッチンで作ってるダイエット食、ときどき米吉くんにも分けてあげてるわよね？　食べ物に限ってはめったに何かを褒めることがない米吉くんが、このあいだ満面の笑みを浮かべて食べてたから、私びっくりしちゃった」

米吉「はい、黒助さんのメニューって、お腹いっぱいまで食べてもたったの４００カロリーなんですよ。もう夢中で食べちゃいました」

黒助「そりゃあ、オレ様が考案したダイエット食なんだから、味良し量良し運気良し、すべて良しに決まってるわな！」

美紅「そんなあなたたちの仲良しっぷりも、ちゃんと付箋に書いておくわよ」

美紅さんがニヤリと笑って『おいしいと言っている誰かを見て喜ぶ』を付箋化し、**〈人が喜んでくれる〉**のグループの中に入れました。

玉樹「何とも美しい友情……そんなゲームがあったら良いのになぁ……」

美紅「作ればいいじゃない。ねぇ？」

美紅さんはさらに深みのある微笑みを浮かべながら、新たな付箋を付け足しました。

『ゲームを遊ぶ人を見ているだけで面白い』

黒助「『ゲームを見ているだけで面白い』ねぇ……でもさ、実際、女性ってゲーマー向けのゲームに興味すら示さないよな。あれって、描写がグロいとかゲーム脳的な要素も入ってるけど、そもそもはゲーム自体が複雑で難しいからだよな」

そう言って、黒助が『ゲームは難しい』という付箋を**〈ゲーム脳〉**のグループの近くに置きました。

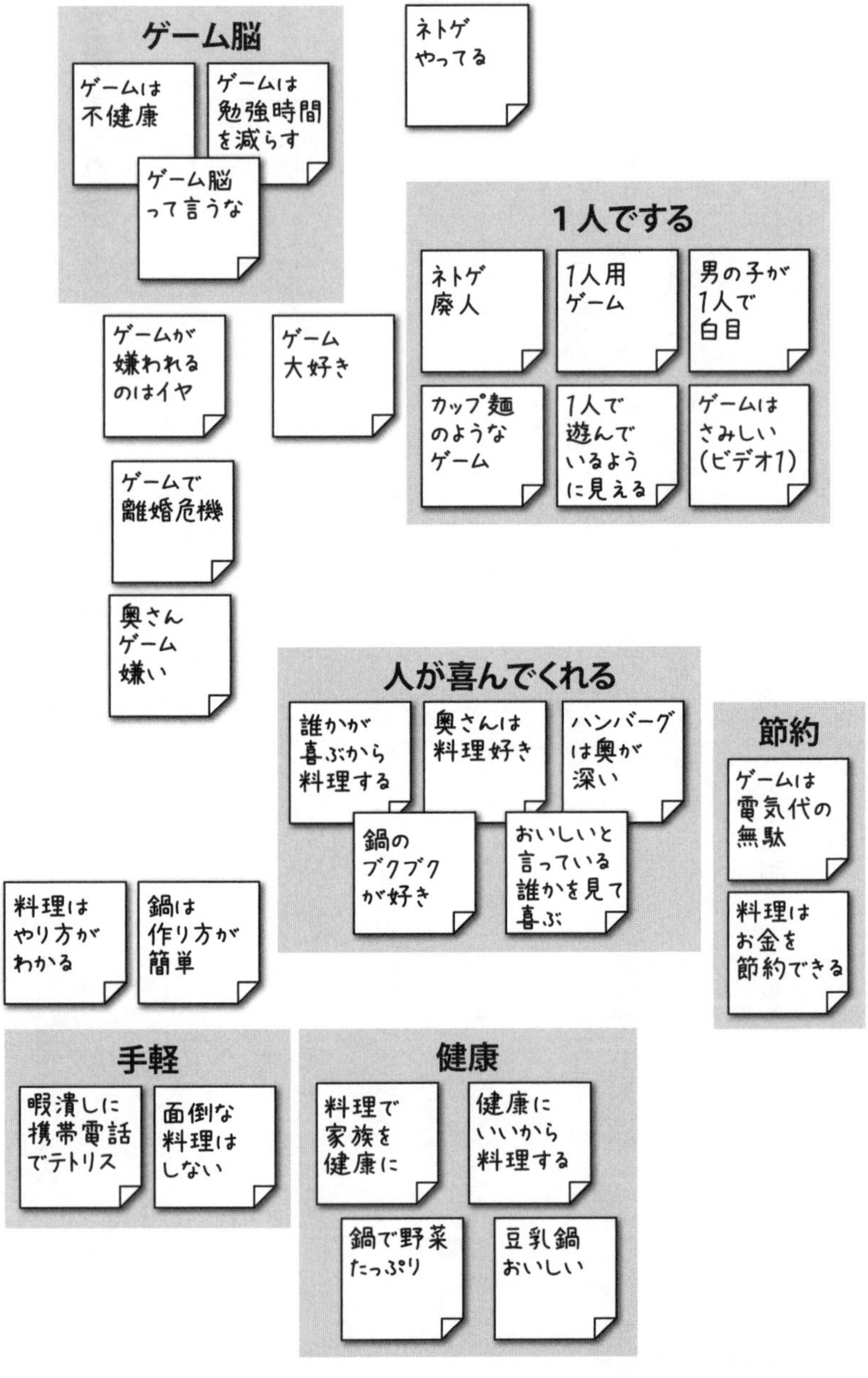
ゲーム脳
ゲームは不健康
ゲームは勉強時間を減らす
ゲーム脳って言うな
ネトゲやってる
1人でする
ネトゲ廃人
1人用ゲーム
男の子が1人で白目
カップ麺のようなゲーム
1人で遊んでいるように見える
ゲームはさみしい(ビデオ1)
ゲームが嫌われるのはイヤ
ゲーム大好き
ゲームで離婚危機
奥さんゲーム嫌い
人が喜んでくれる
誰かが喜ぶから料理する
奥さんは料理好き
ハンバーグは奥が深い
鍋のブクブクが好き
おいしいと言っている誰かを見て喜ぶ
節約
ゲームは電気代の無駄
料理はお金を節約できる
料理はやり方がわかる
鍋は作り方が簡単
手軽
暇潰しに携帯電話でテトリス
面倒な料理はしない
健康
料理で家族を健康に
健康にいいから料理する
鍋で野菜たっぷり
豆乳鍋おいしい

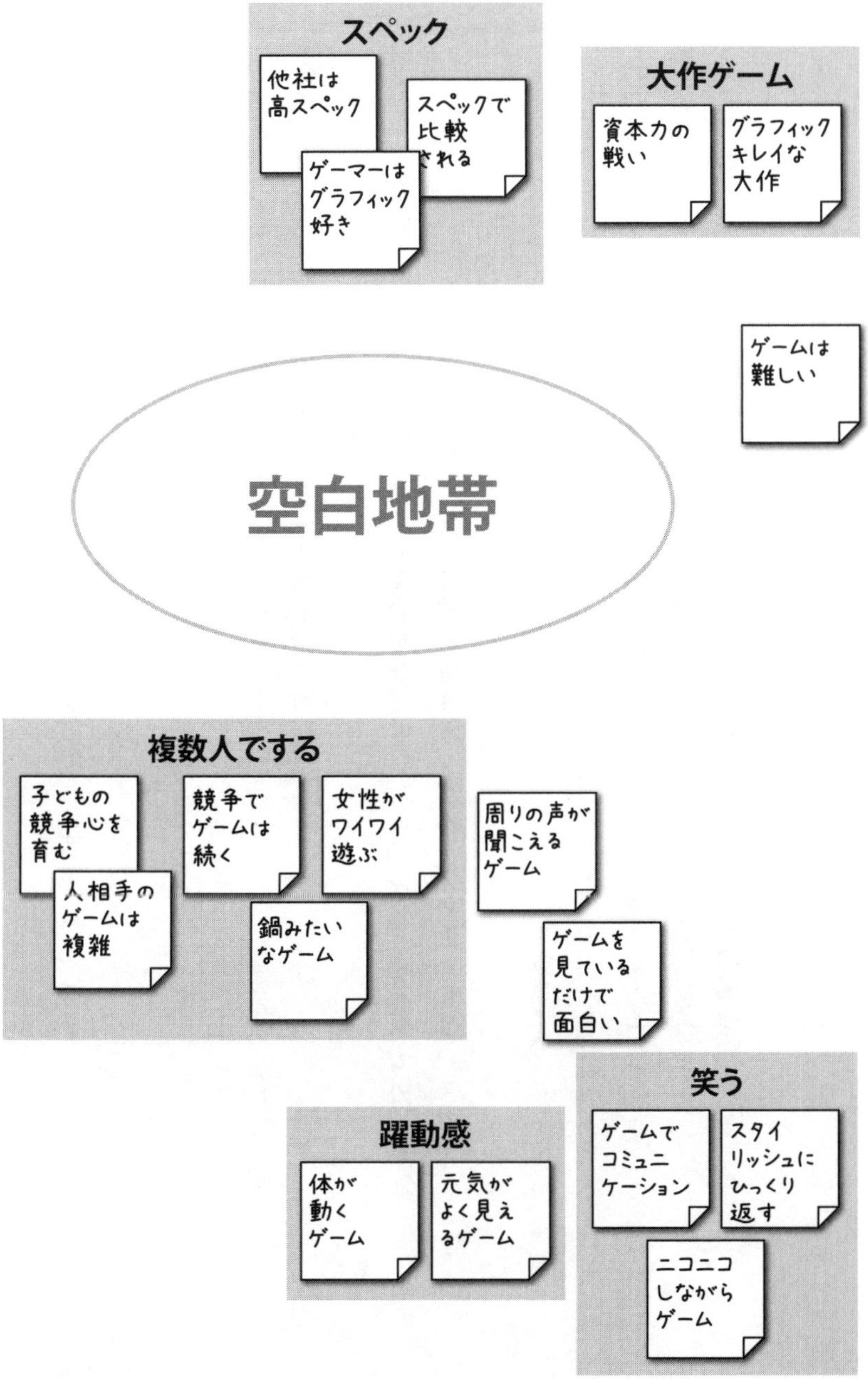
スペック
他社は高スペック
スペックで比較される
ゲーマーはグラフィック好き
大作ゲーム
資本力の戦い
グラフィックキレイな大作
ゲームは難しい
空白地帯
複数人でする
子どもの競争心を育む
競争でゲームは続く
女性がワイワイ遊ぶ
人相手のゲームは複雑
鍋みたいなゲーム
周りの声が聞こえるゲーム
ゲームを見ているだけで面白い
笑う
ゲームでコミュニケーション
スタイリッシュにひっくり返す
ニコニコしながらゲーム
躍動感
体が動くゲーム
元気がよく見えるゲーム

葉月「その逆で言ったら、料理なら、基本的にレシピがあれば作っていけるよね。ゲームの取扱説明書って普通はあんまり読まないけど、レシピ本とか料理のウェブサイトなら見てるのぜんぜん楽しいし♪」

葉月さんが、『料理はやり方がわかる』『鍋は作り方が簡単』という付箋を追加して、**〈手軽〉**のグループの近くに置きました（前ページの図参照）。

グループ化5：付箋の追加漏れがないかチェックしつつ、グループ化から外れた付箋は、何となく意味の近そうなグループの近くに置いておく

玉樹「徐々に全体の形が見えてきた感じがしますね。ここまでおつかれさまでした！　特に付箋やグループの場所を調整するのって大変だったと思います。でも、わざわざこうして付箋に書いて並べているのって、僕たちの思考を助けてくれる効果もあるんですよ。たとえば、このテーブルを見てみると……『周りの声が聞こえるゲーム』が周囲のグループに吸収し切れずにいて、間に空間ができていますよね」**（※前ページの図参照）**

美紅「何か居心地が悪いわね」

玉樹「これって、僕たちの心の中が反映されてるんですよ。空間にこそ意味があるんです。空間が空いているときは、そこに埋めるべきふさわしい付箋があるんじゃないか？　って考えてみるんです」

黒助「空いていることに意味があるって言われても、どうすりゃいいのよ？」

真白「特に**〈人が喜んでくれる〉**っていうグループとの間にぽっかり空いてますね、穴が」

黒助「ゲームで遊んでるとき、声をかけて無視されちゃうとお母さんは傷つくし腹が立つから、『周りの声が聞こえるゲーム』があれば良いっていう話なんだよな」

米吉「けど、そんなことはゲームで遊んでる側も考えてないのが現状ですよね……お母さんを喜ばせようなんてぜんぜん思ってないですし、思いついてもいないかもしれません。ゲームする人とゲームしていない人の間に、壁ができちゃってます」

黒助「その壁は大きいよなぁ……。それにしても、さっきの表現はちょっと引っかかったぞ。『お母さんを喜ばせる』？　……ゲームで？」

真白「全く想像つかないんですけど、ゲームをやってることが親孝行になったりして、結果的にお母さんが喜んでくれるなら、うれしいですね！」

黒助「奥さんにゲームさせるだけでも大変なのに、ゲームをやってるだけで奥さんの機嫌を取るなんて、できるわけないって」

玉樹「お、できるわけない、が出たか。コンセプトワークで否定は御法度だけど、それでも否定したくなるぐらいだから、すごく大切なことなんだよ、きっと。しっかり付箋にしておこう。『お母さんを喜ばせる』。それが**もし可能になったら、スゴイことだ……**。お母さんが子どもに、『こら！　テレビばっかり見てないで、ゲームもしなさい！』って言っている未来が見えてくるかもしれない」

私はそう言って、『お母さんを喜ばせる』という付箋を作りました。これまではお母さんの敵であったゲームが、逆にお母さんを喜ばせようとしている。私は内心この考え方にゾクゾクしていましたが、その興奮を押し殺すようにそっと付箋を貼ります。

黒助「いやー、あり得ない」

真白「でも、そんなことができたら、すごいですよね……。売れちゃいますね、次世代機」

米吉「でも、現状ではお母さんはゲームのことを嫌いなんですよね？　『お母さんを喜ばせる』っていう付箋を作ってはみたものの、**〈人が喜んでくれる〉**グループのすぐ上には『奥さんゲーム嫌い』という全く正反対の付箋があるので。やっぱりスキマが空いちゃいますね……」

美紅「奥さんを喜ばせる前に、まずは奥さんに嫌われない努力が必要かもよ、黒助くん？」

黒助は、バツが悪そうに『奥さんに嫌われない』を付箋化しました。

玉樹「今のゲームは、奥さん……というか、家庭の女性に嫌われてる。これは現在のところ、やっぱり事実みたいです。けれど、そんな女性の皆さんに嫌われないゲームができれば、『ゲームで離婚危機』も回避できるかもしれない。黒助家も安泰ってことだな（笑）」

空白地点を埋めるように考えることで、徐々に付箋同士のつながりが強くなり、私たちが見逃していた考えが付箋となって現れてきます。

グループ化6：テーブル上に大きな空白がある場合、その空白地帯にこそ大きなヒントが潜んでいることを意識する。そして、空白の周辺に位置する付箋やグループを参考にしながら、新たな付箋を追加する

玉樹「けっこう付箋が出揃ってきましたね。だいたい50枚くらいの付箋になっています。まだグループ化とかもできそうですけど、部分的なことはいったん放っておいて、テーブル全体を1つの構造として眺めてみたときに、何か気づくことはありませんか？」

美紅「まっぷたつ、だね。上下に別れてる。上がなんとなくこれまでのゲームで、下は料理っぽいゲームみたいな新しい考え方よね……。しかもそのつなぎ目に、黒助家の離婚危機があるわ！」

美紅さんは、腕で上下それぞれの大きなグループを囲みながら言います。

真白「ゲームをする人とゲームをしない人の縁が切れそうになってる……って、読めますね」

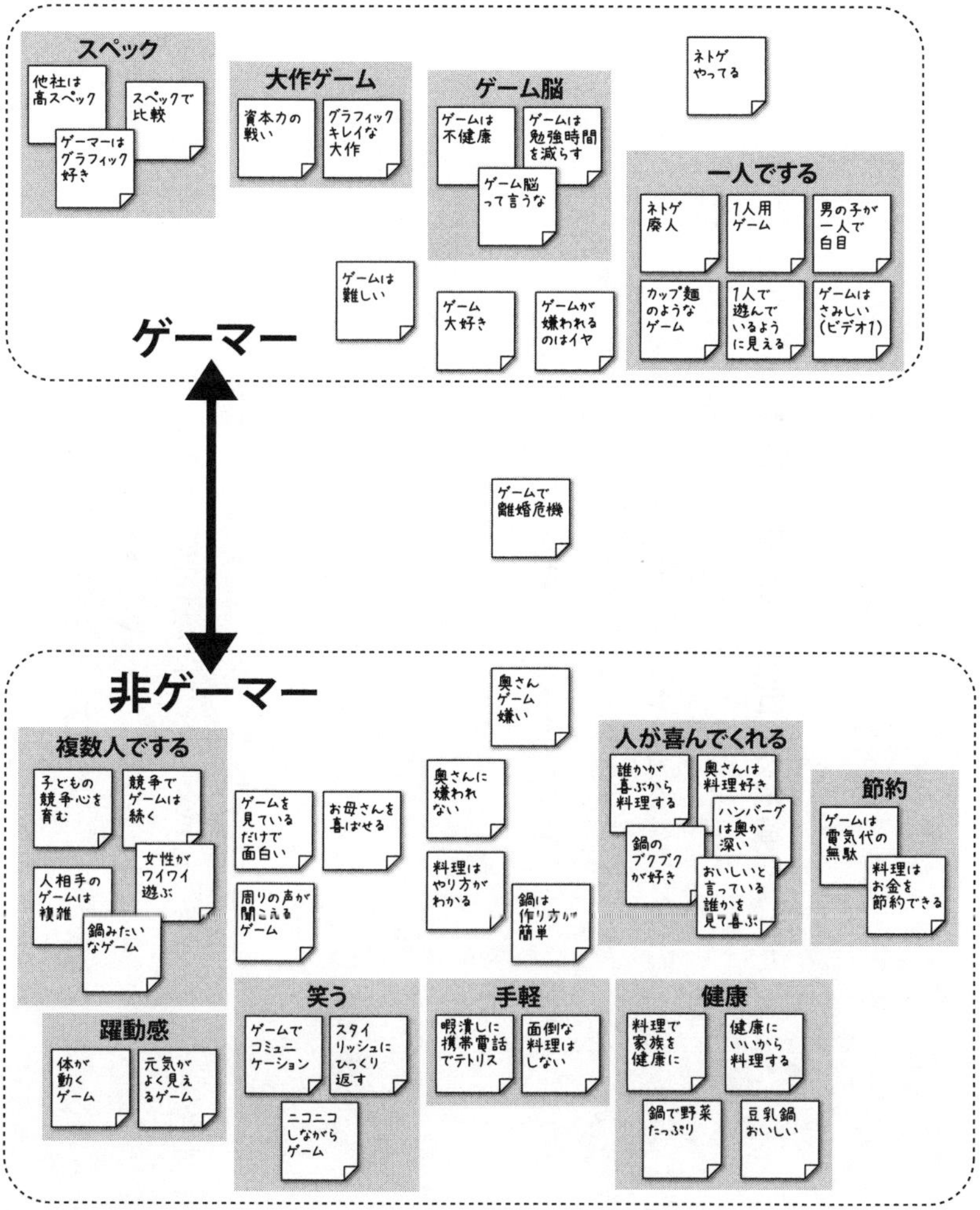

ゲーマー
スペック
他社は高スペック
スペックで比較
ゲーマーはグラフィック好き
大作ゲーム
資本力の戦い
グラフィックキレイな大作
ゲーム脳
ゲームは不健康
ゲームは勉強時間を減らす
ゲーム脳って言うな
ネトゲやってる
一人でする
ネトゲ廃人
1人用ゲーム
男の子が一人で白目
カップ麺のようなゲーム
1人で遊んでいるように見える
ゲームはさみしい(ビデオ1)
ゲームは難しい
ゲーム大好き
ゲームが嫌われるのはイヤ
ゲームで離婚危機
非ゲーマー
奥さんゲーム嫌い
複数人でする
子どもの競争心を育む
競争でゲームは続く
女性がワイワイ遊ぶ
人相手のゲームは複雑
鍋みたいなゲーム
ゲームを見ているだけで面白い
お母さんを喜ばせる
周りの声が聞こえるゲーム
奥さんに嫌われない
料理はやり方がわかる
鍋は作り方が簡単
人が喜んでくれる
誰かが喜ぶから料理する
奥さんは料理好き
ハンバーグは奥が深い
鍋のブクブクが好き
おいしいと言っている誰かを見て喜ぶ
節約
ゲームは電気代の無駄
料理はお金を節約できる
躍動感
体が動くゲーム
元気がよく見えるゲーム
笑う
ゲームでコミュニケーション
スタイリッシュにひっくり返す
ニコニコしながらゲーム
手軽
暇潰しに携帯電話でテトリス
面倒な料理はしない
健康
料理で家族を健康に
健康にいいから料理する
鍋で野菜たっぷり
豆乳鍋おいしい

米吉「下のグループにあるようなゲームは、パッと見ると絵空事のようにも読めます。『鍋みたいなゲーム』とか『女性がワイワイ遊ぶゲーム』『ニコニコしながらゲーム』『元気がよく見えるゲーム』。けど、そういうのは無理だって僕たちが意地を張ってるから、離婚問題に発展してしまった……」

葉月「ここまでキレイに形が出てくると、何かもう、逃げられないね」

黒助「離婚の危機、か……。マジかよ」

グループ化によって、私たちは1つの結論にたどりつこうとしています。これまでのゲーム脳と言われてしまうようなゲームと、女性にも楽しんでもらえるような新しいゲームという2つの大きなグループがあって、それら2つのグループは、離婚の危機という形で相容れない様相を呈している。

冒険の地図上に、**2つのグループの対立という巨大な構造が現れた**のです。

このように、グループ化を進めていくと、新たなアイデアや切り口が見つかり、さらに付箋を増やしたくなります。あなたはそこで、仲間たちの自然な反応に身をまかせていればOKです。うまく場の雰囲気を盛り上げていければ、コンセプトワークに良い流れを生み出せるでしょう。

もしグループ化が順調に進まない場合は、付箋の数が足りていないことが原因かもしれません。そういった場合はもう一度、ステップ1「悪口を出す」やステップ2「ズラす質問を投げかける」に立ち戻って付箋を増やしましょう。枚数の目安としては、30枚を超えれば十分でしょう。素材がたくさんあればあるほど、見える世界も広がってきます。

コンセプトワーク

ステップ3 グループ化1~6の手順で付箋をグループ化する

コンセプトが完成するまで、あと一歩のところまでたどりつきました。テーブル全体の配置を「わかる」ために、小さなグループをまとめ、さらに全体を眺めて配置を読み解くんですね。

例えるなら、勇者のパーティーは、とうとう真の敵を見つけつつあります。星座がひしめく星空の向こうに、大きな1つの配置が顔を見せ始めています。

星空全体に潜む物語を読み解くのは、もうすぐです。

12 語り継がれるもの――「できる」のための物語化

悪口からはじまったコンセプトワークも、いまや夜空いっぱいの星座が1つの意味を語りはじめるところまでたどりつきました。

ステップ4では、ざわめく無数の付箋の配置が語りはじめているコンセプトを、20文字程度の言葉として**はっきりと言語化します。**パーティー全員と同じ想いを共有できる物語を形作り、ものづくりの最後の原理「できる」を手にしましょう。

「のぼっていく」第四の試練

コンセプトワークの末に浮かび上がってきたのは、ゲーマーと非ゲーマーの間の離婚問題という奇妙な結論でした。数十枚の付箋は「意味が近いカードは近くに、意味が遠いカードは遠くに」という条件で並び替えられるなかで、ひょうたんのような形になりました。上部はゲームをする人、下部はゲームをしない人、くびれのところに離婚問題が、それぞれまるで意思を持っているかのように移動しています。

ここまで整理できてくると、コンセプトワークの当初はただ乱雑に付箋が並んでいるようにしか見えなかったテーブルの上に、1つの大きな流れが見えます。

次世代ゲーム機を作ろうとしている私たちは、ゲーム人口を拡人しきれていない状況である上部から下部へと移動し、ひいては奥さんを奪還しなければなりません。

私たちが取り組んでいたコンセプトワークは、まるで古典的なファンタジー文学のように、敵の手中から愛しい人を取り戻すための冒険だったようです。

しかしながら、コンセプトをめぐる冒険の真骨頂は、まさにここからはじまります。現在のひょうたん型が、思いもよらない変形を伴いながら、1つの物語としての形をとりはじめるのです。

◆

熱を帯び始めたコンセプトワークの現場へと、カメラを戻しましょう。

玉樹「全体の構造が見えてきました。

今のゲーム業界は、ゲーマー中心のひょうたん型の上部にとどまっているようです。しかし、ゲーム人口の拡大のためには、非ゲーマーに向けたひょうたん型の下部のような商品を提供しなければならない、というふうに皆さんから生み出された付箋は語っているみたいです。

そこで、今からは付箋を出すことに加えて、付箋やグループの間の関係性や流れに注目してみたいと思います。テーブルの上に、目に見えない川の流れのようなものがある……。そんなふうにイメージしてほしいんです。その流れに気づくために調べたいことがあるのですが、意味が全く反対になっているグループはありませんか？」

米吉「そうですね……わかりやすいのは、**〈1人でする〉**と**〈複数人でする〉**でしょうか」

玉樹「じゃあ、ちょっと矢印をイメージしてみましょう。どっちからどっちへ私たちは行きたいと望んでいるかというと、上から下、**〈1人でする〉**から**〈複数人でする〉**ですよね？

こんな矢印をイメージしてください」

私は**〈1人でする〉**から**〈複数人でする〉**に向けて、腕を何度も大きく振って、見えない矢印を引きました。

黒助「**〈ゲーム脳〉**の中の『ゲームは不健康』という付箋って、**〈健康〉**に向けて矢印が引けるな」

美紅「そうね。健康は『ネトゲ廃人』みたいな付箋とは対照的よね」

黒助が、**〈ゲーム脳〉**から**〈健康〉**へ向けた矢印を指で指し示します。

真白「**〈スペック〉**とか**〈大作ゲーム〉**って、とっても大きなお金が動いてて、遠い世界のお話みたいです。それに比べて、**〈節約〉**って身近なところからお金のことを考えていて、何だか雰囲気が真逆な感じがします」

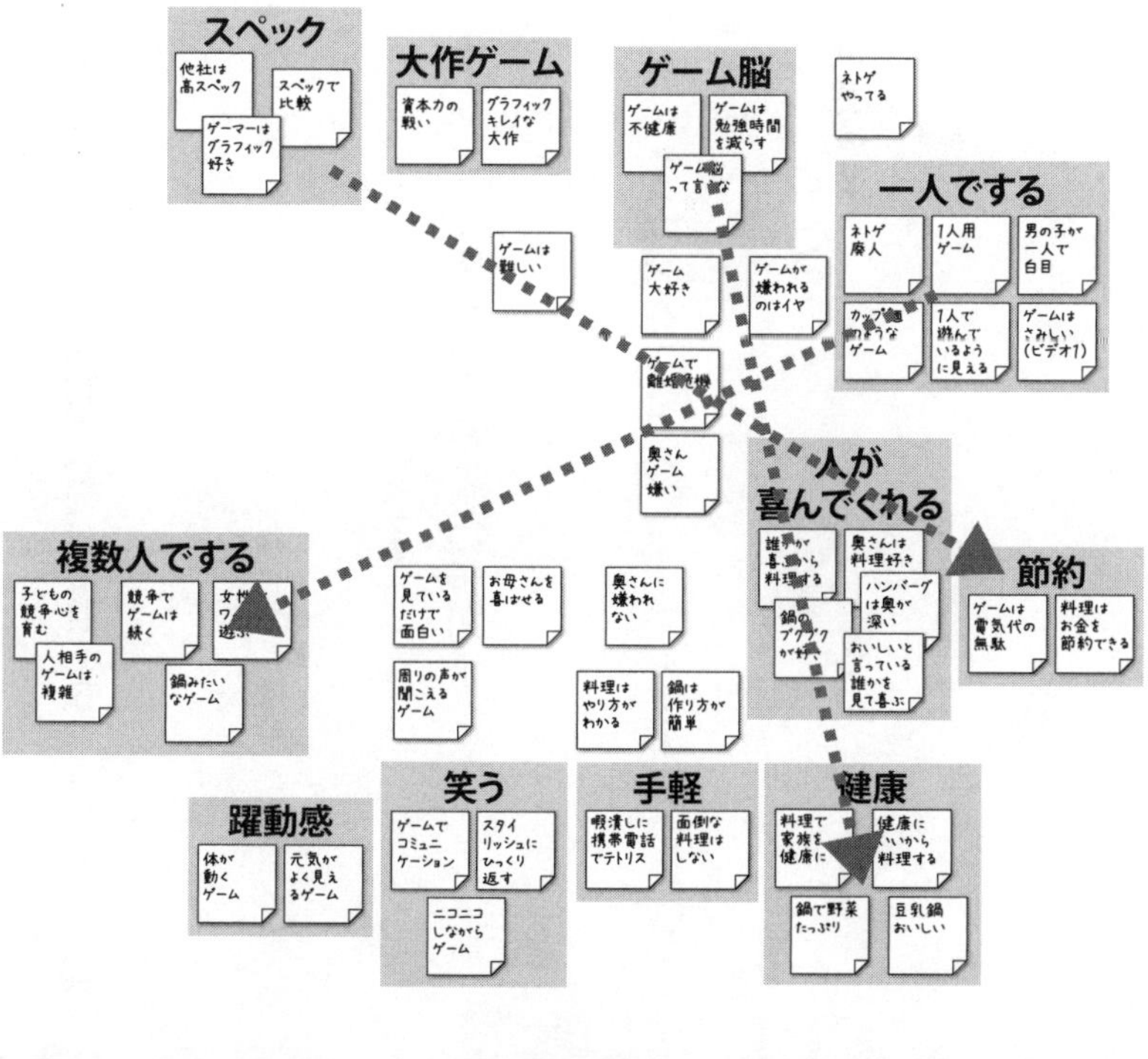

真白ちゃんは**〈スペック〉**と**〈大作ゲーム〉**の中間あたりから、**〈節約〉**へ向けて腕を振って矢印を示しました。

美紅「3本の矢印がちょうど真ん中の『離婚危機』あたりでクロスしてるわね。やっぱりこの部分が何かを意味してるってことかしら……」

葉月「**〈大作ゲーム〉**と**〈手軽〉**は真逆よね！　それから、**〈躍動感〉**と『男の子が1人で白目』も何だか逆っぽい！」

黒助「**〈1人でする〉**のあたりと**〈笑う〉**も真逆だし、**〈人が喜んでくれる〉**とも真逆に思えるな。何だか、矢印が何本もイメージできるんだけど？」

物語化1：正反対の意味を持つグループ・付箋の間に、進んでいきたい方向の矢印を引く

こうしてすべてのグループが、何らかのつながりを見せた状態となって目の前に現れました。仲間が明確にしてくれた矢印を1つ1つ手でたどりながら、私は問いかけます。

玉樹「いやはや、皆さんすごく鋭いですね！　ここまで鮮やかにグループを整理できると、かなりスッキリしてきた気がします。７本の矢印が引かれています。この矢印が、私たちの希望そのものだと思います。どうにかして、これらを叶えたいって思います。そこで皆さんに聞きたいんですけど、**これら7つの矢印をすべてまとめて強引に1本の矢印にするとしたら**、どこからどこへ、どんなふうに引きますか？」

米吉「うーん……。矢印の起点になってるのは、テーブルの上側にある４つのグループですよね？　矢印の終点は下側のグループで、上側はなんとなく左から右へ、下側はなんとなく右から左に向かって流れてい

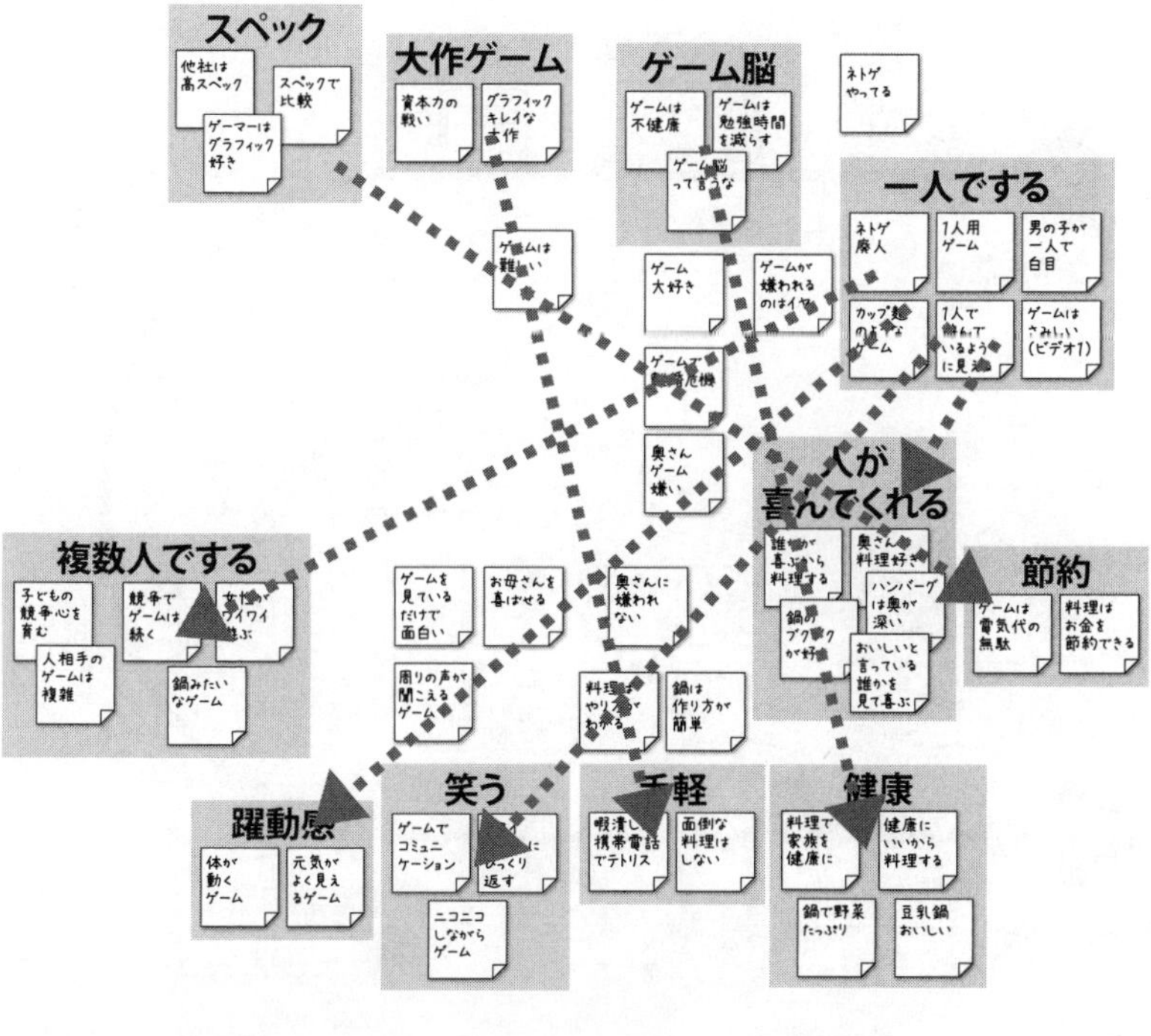

るように思えます。となると……」

美紅「ひらがなの『つ』ね！**〈スペック〉**のあたりから**〈躍動感〉**のあたりまで、カーブしながら下に降りていけばいいわ」

真白「本当だ。矢印全部が、うまく1つの大きな矢印になって見えますよ！」

　真白ちゃんが、何度もテーブルの上に『つ』を描いています。テーブルの上に、ひとつの大きな流れが見えてきました。

玉樹「大きな矢印の流れは、このコンセプトワークが語っている1つの大きなメッセージだと思ってください。皆さんの付箋が集まって、1つだけの何かを伝えようと

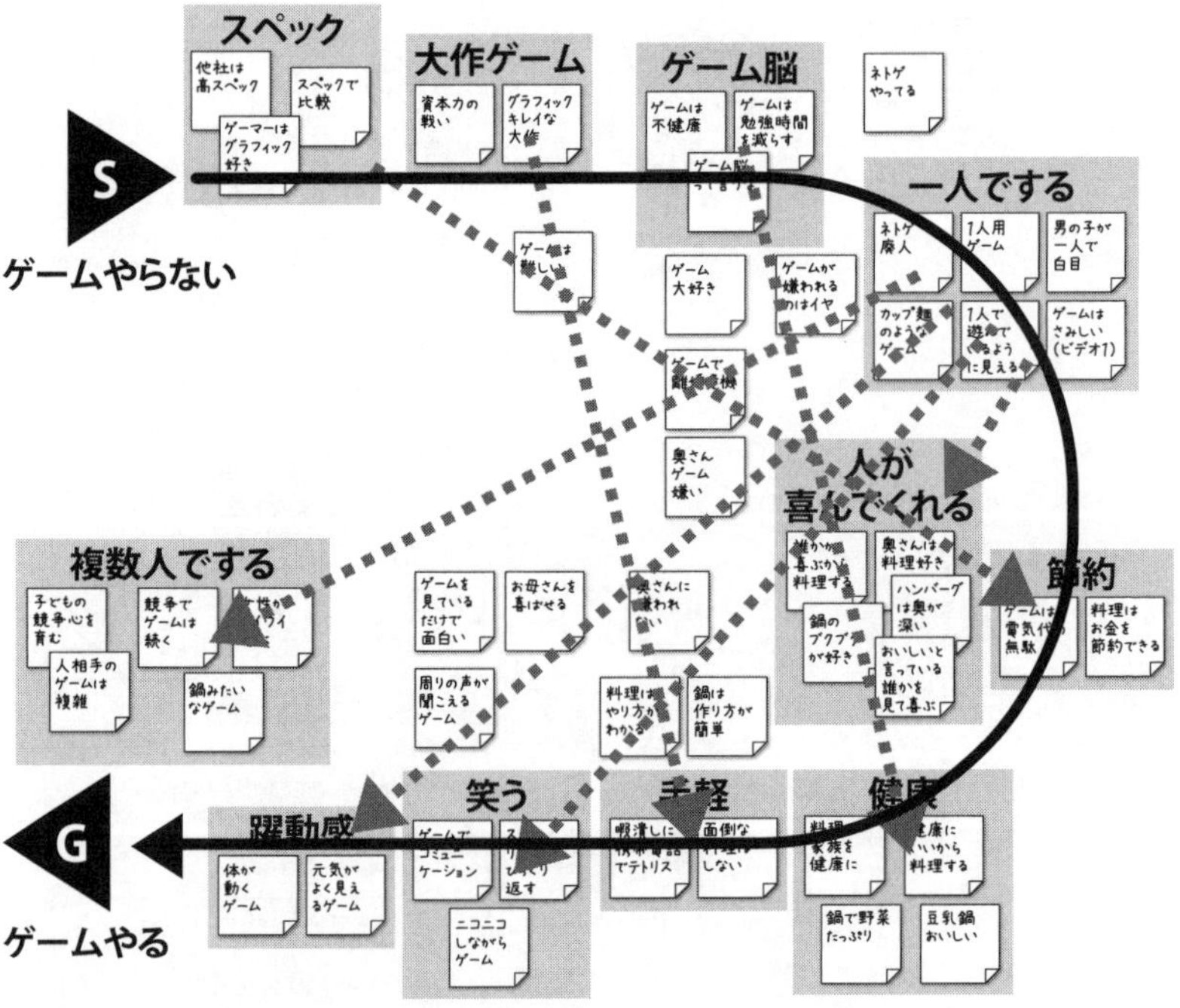

していることです。さあ、ここからがコンセプトワークの真骨頂ですよ。

まず、矢印のスタート地点とゴール地点に、しるしを置いておきましょう。付箋に赤い字でスタートの『S』とゴールの『G』……と。私たちは、SからGへと進みたいと願っています。ところで、SからGへと進むことで、僕たちにはどんなうれしいことがあるんでしょう？　世界は何が変わるんでしょうか？」

黒助「そりゃ、次世代ゲーム機の企画ができるってことだろ？」

美紅「そういう仕事っぽいことじゃなくて、気持ちの問題なんじゃないの？」

葉月「Sの近くのゲームはあんまりだけど、Gの近くのゲームは遊んでみたいよね、何となく」

　葉月ちゃん、なかなか鋭い。

米吉「Sは今の僕たちがいる場所、現時点での状況で、ゲーム人口が変化しない世界です。そんな状況は、ゲームがGのような未来を実現すれば、変わるはずです。今はゲームをしない人であっても、ゲームをするようになる……『ゲーム人口の拡大』が実現されます！」

黒助「それだな！　超シンプルにすれば、Sは『ゲームやらない』、Gは『ゲームやる』っていうことだよな、SからGに行くってことは、そういうことだ。うちの奥さんにも移動してほしいもんだよ……」

テーブル上の付箋から1つの大きな矢印を見出すことによって、テーブル全体がたった1つのメッセージを持つようになった瞬間です。

大きな矢印が示しているのは、**『ゲームをやらない人が、やるようになる』という物語**であり、冒険の仲間全員が心の底から望んでいたことです。

物語化2：物語化1で引いた矢印すべての向きや動きを1つの大きな矢印にまとめ、始点と終点にS（スタート）とG（ゴール）を置く

玉樹「やれるかもしれない、奥さんにGに行ってもらえばいいんだよ。このコンセプトに則った次世代機を作ればいいんだ。要は、お客さんはどんな気持ちや経験をたどりながら

SからGへと移動してこれるのか？　という物語を作ればいいんだよ。
真白ちゃん、試しに矢印の向きに沿って、全体を1つのお話として読んでくれない？
グループに付けたタイトルを、飛び石のようにぴょんぴょん渡りながら読んでいくだけで大丈夫だから」

真白「あっ、はい……。とりあえずやってみます。Sの地点は『ゲームをやらない』っていう意味があるんですよね、では……、

あるところに、ゲームをやらない人がいました。〈スペック〉を活用した〈大作ゲーム〉を〈1人で〉遊んでいる人が〈ゲーム脳〉と言われていたので、ゲームが嫌われていたからです。そこで、〈人が喜んで〉くれたり、〈健康〉になったり、〈節約〉できたり〈手軽〉にできたりするゲームを作りました。〈複数人〉で〈笑い〉合いながら、〈躍動感〉あふれるゲームによって、ゲームをやらなかった人もゲームをやるようになりました。

こんな感じでどうでしょうか……？」

美紅「めでたしめでたし！　何だか昔話みたいね」

葉月「何だ、もうできたじゃない、次世代ゲーム機！この通りのものを作ればいいんだ」

玉樹「まとめ方も素晴らしかった！　ありがとう、真白ちゃん。とてもシンプルで、面白い物語でしたね。皆さんにたくさんの付箋を出してもらったおかげです」

物語化3：SからGまでのグループ名称を飛び石のようにたどりながら、〔仮の物語〕を作る

美紅「もし本当にそんな次世代ゲーム機を作れたら、スゴイことが起きそうね」

皆が納得しているかと思いきや、どうやら米吉くんだけが少し悩んでいるようです。

その理由について問いかけると、彼はとうとうと語り

出しました。

米吉「……今、美紅さんの言葉を聞いて、ちょっとだけ違和感を覚えたんです。ここでコンセプトワークして考えているのって、本当に次世代ゲーム機なんでしょうか？　次世代ゲーム機って聞くと、スペックが飛躍的に上がって、3Dのような、これまでにない表現ができてきて、コントローラーが豪華になって……というようなイメージだったんですけど、今皆さんと一緒に考えているものって、ちょっと違うような気がします」

黒助「いいんじゃねえか？　結局それってSの近くの話なんだよ。これまでのやり方っていうか、ゲーム業界の歴史っていうかさ。けど最近になって、Sの近くで戦うのがしんどくなってきて、お客さんもついてきてくれなくなったんだよな」

玉樹「今の話は、まさにコンセプトについての本質を突いていると思います。テーブルの上の目に見えない流れに沿ってグループ名をつなげて作った物語は、すでにコンセプトにかなり近づいています。**皆さんの付箋が一枚も捨てられることなく、すべての付箋が関係している物語**ですから、きっと皆さん全員にわかってもらえてますよね。少なくともこの場には、物語自体を否定したいと思っている人はいないはずです。ゲームをしない人がゲームをするようになるっていう、僕たちが心の底から望んでいる物語ですから。けれど、米吉くんは『これは次世代ゲーム機ではない』と感じた……これはつまり、裏を返せば、コンセプトが**未知の良さを指し示している**という証拠になりそうです。物語自体はわかる……心の中では。けど、改めて現実の問題として具体的に考えてみようとすると、何か違和感を覚えてしまった。今まで、次世代機を作るといったときには当然あるべきだって思われていたものがなくなっていて、今まではちっとも価値があると思われていなかったことが語られはじめている。だから、違和感を持ったんだと思います」

米吉「未知の良さ、ですか……」

葉月「未知って言ってもさ、マリオカートとかスマッシュブラザーズとか、実績もあってみんなでわいわい楽しめるゲームがたくさんあるんだから、むしろGの近くのほうが得意なんじゃないの？　私たちって。ワイワイ楽しめるゲームっていう武器はもうあるんだから、未知でも何でもないよね」

米吉「たしかにそうですね。そんなゲームをすでに僕たちは持っているんだ……ということは、ますますコンセプトが実現しやすいっていうことですね」

玉樹「そう、葉月さんが話してくれたマリオカートやスマッシュブラザーズなどのソフトは、次世代機でも使えるアイテムの話です。**コンセプトはアイテムとビジョンから成り立っている**ことを思い出してください。ビジョンとアイテムが完全に出揃ったとき、コンセプトは完成するはずです」

黒助「その言い方だと、まだ揃ってないような感じだな」

玉樹「皆さん。さっき真白ちゃんに作ってもらった物語は、気持ちとしては理解できるけど、誰にでも説明できるかというと、まだまだ未熟みたいです。米吉くんの違和感が、その証拠ですね。今の物語は、言わば〔仮の物語〕でしかありません。

この違和感を超えて、論理的・客観的にも信じられる物語を作るためには、もっと付箋が必要になります。葉月ちゃんがさっき指摘してくれた通り、実はすでに手にしているけれど気づいていないアイテムがあるかもしれませんし、まだ心の奥底から引き上げ切れていないビジョンがあるかもしれません。

もう一度テーブルを眺めてみましょう。といっても、ただ眺めるんじゃなくて『仮の物語の中で、この付箋はどんな役割をするんだろう？』と疑いながら見てみてください。たとえば……『スペックで比較される』という付箋がＳ（スタート）の近くにあります。Ｓ

のそばにあるっていうことは、〔仮の物語〕と照らし合わせると、まだゲームを楽しんでいない状態の人と関係が深いことになりますよね。けれど、ゲームをやらない人って、そもそもスペックでゲーム機を比較したりすると思いますか？」

葉月「スペックに価値を見出してくれるような人なら、とっくにゲーム買ってるよね」

玉樹「そういうことです！　スペックのことなんて知らないし、比較する術がない……。買い方すら知らないからこそ、買わないいんじゃないかなって思うんです」

私は『買い方を知らない』という付箋をテーブルに貼りながら、コンセプトワークが熟しつつあることを考えています。元はと言えば、個々の付箋をまとめることで、〔仮の物語〕とS（スタート）・G（ゴール）が設定されました。しかし、一度テーブル全体の構造である物語が見えてくると、今度はその物語の中で、個々の付箋がどんな役割を持っているかを見通せるようになります。まるでバラバラだったジグソーパズルを組み上げていくときのように、個々のパーツの本当の意味や役割が見えてくるんですね。

物語化4：〔仮の物語〕を足がかりに、さらに付箋とグループを増やす

葉月「『ゲーマーはグラフィック好き』っていっても、別にゲームをやらない人には関係ない話だよね」

黒助「そもそもゲームのこと自体知らないのに、グラフィックがどれだけ良かろうがどうでもいい話だな」

米吉「うーん、さりげなく過激な発言ですよね……。ゲームをやらない人にゲームをやってもらうためには、グラフィックは必要ないということになりますから」

そう言いながら、米吉くんが几帳面な字で『そもそも知らない』と書きます。作法に慣れてきた様子です。

その後、現場では付箋が一気に増えていきました。次ページに、付箋を増やした最終結果を図示します。

※新しい付箋を斜線模様で、新しいグループを濃色で表示

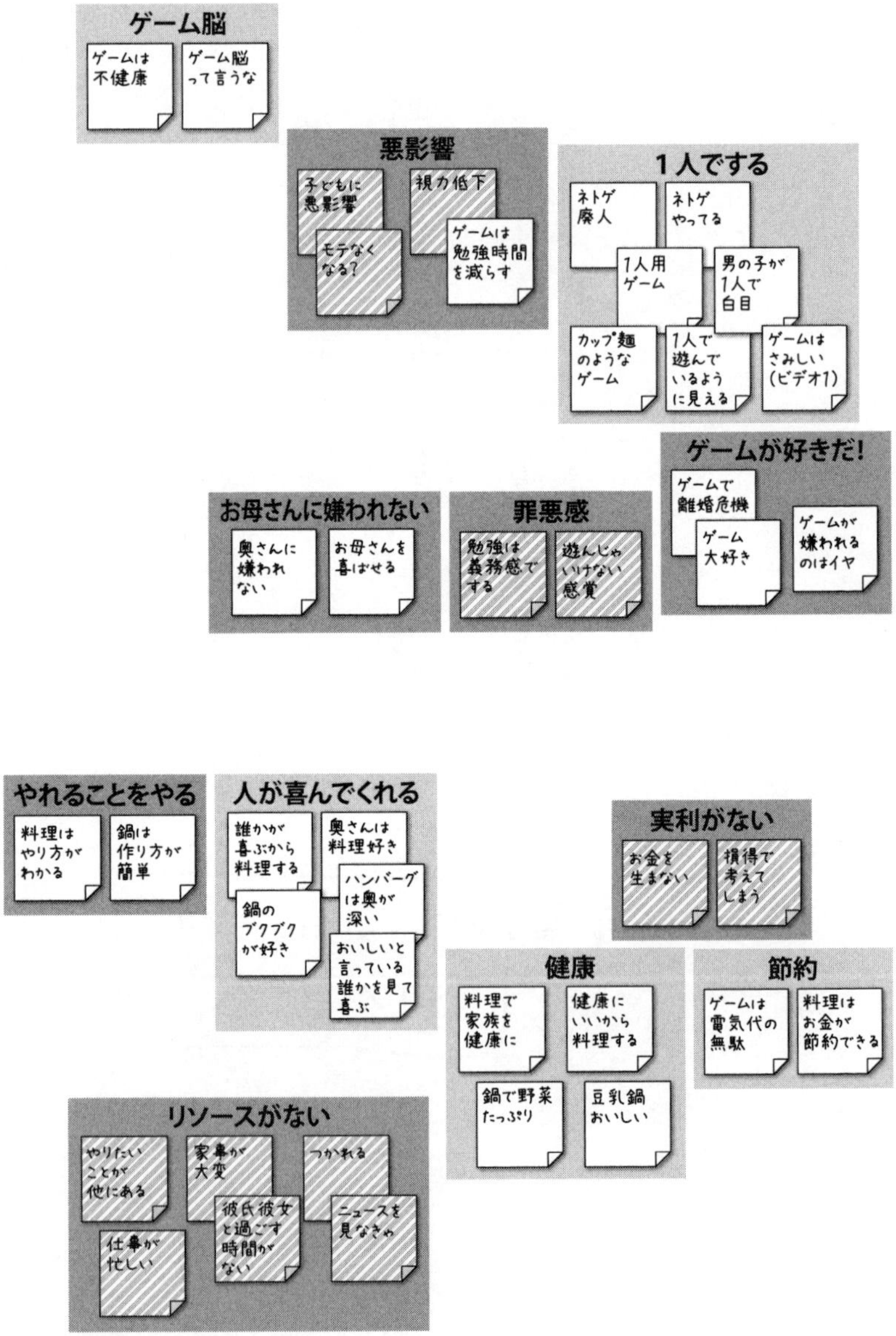
ゲーム脳
ゲームは不健康
ゲーム脳って言うな
悪影響
子どもに悪影響
視力低下
モテなくなる？
ゲームは勉強時間を減らす
1人でする
ネトゲ廃人
ネトゲやってる
1人用ゲーム
男の子が1人で白目
カップ麺のようなゲーム
1人で遊んでいるように見える
ゲームはさみしい（ビデオ1）
ゲームが好きだ！
ゲームで離婚危機
ゲーム大好き
ゲームが嫌われるのはイヤ
お母さんに嫌われない
奥さんに嫌われない
お母さんを喜ばせる
罪悪感
勉強は義務感でする
遊んじゃいけない感覚
やれることをやる
料理はやり方がわかる
鍋は作り方が簡単
人が喜んでくれる
誰かが喜ぶから料理する
奥さんは料理好き
ハンバーグは奥が深い
鍋のブクブクが好き
おいしいと言っている誰かを見て喜ぶ
実利がない
お金を生まない
損得で考えてしまう
健康
料理で家族を健康に
健康にいいから料理する
鍋で野菜たっぷり
豆乳鍋おいしい
節約
ゲームは電気代の無駄
料理はお金が節約できる
リソースがない
やりたいことが他にある
家事が大変
つかれる
彼氏彼女と過ごす時間がない
ニュースを見なきゃ
仕事が忙しい

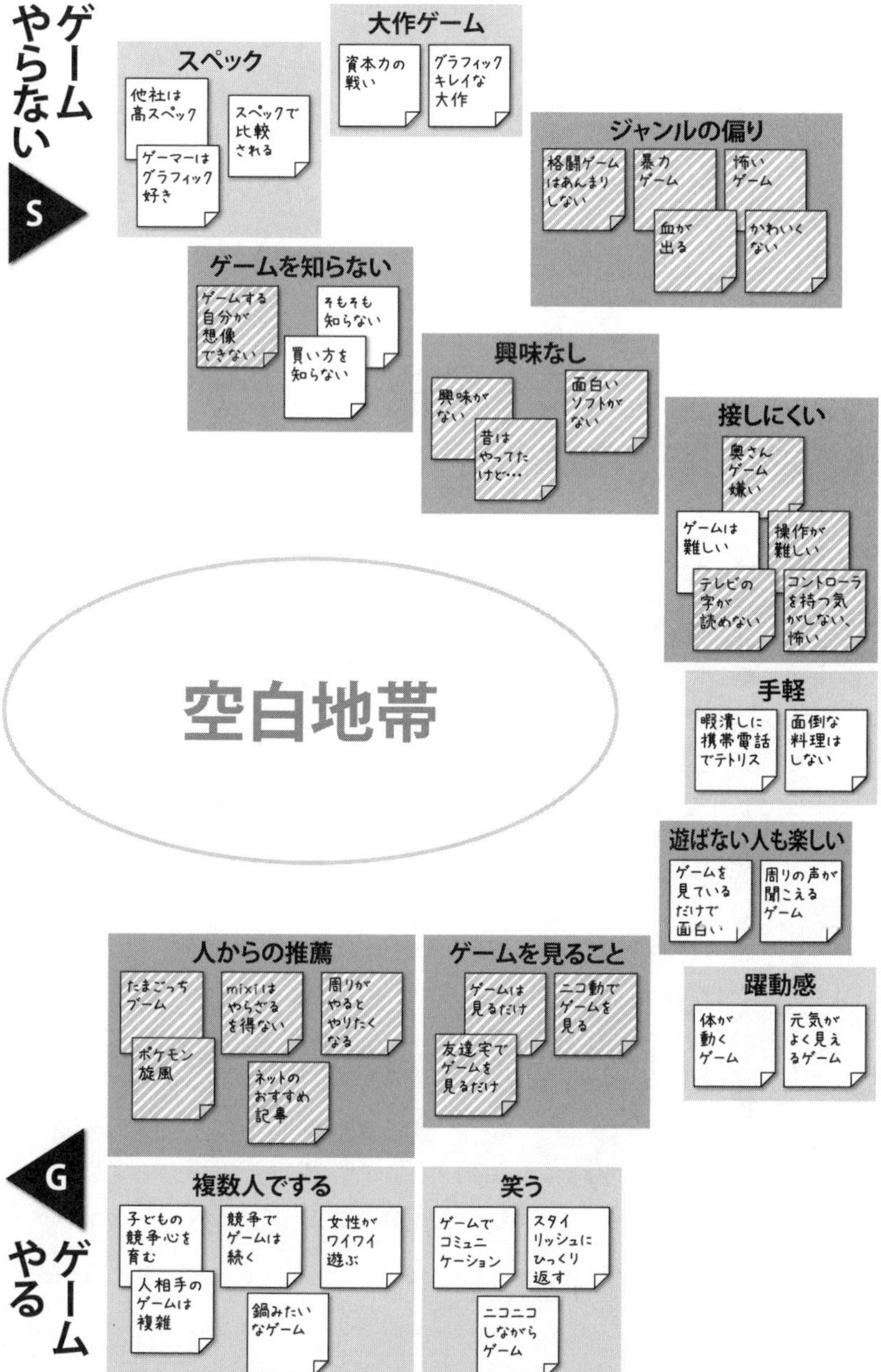

ゲームやらない
S
スペック
他社は高スペック
ゲーマーはグラフィック好き
スペックで比較される
大作ゲーム
資本力の戦い
グラフィックキレイな大作
ジャンルの偏り
格闘ゲームはあんまりしない
暴力ゲーム
血が出る
怖いゲーム
かわいくない
ゲームを知らない
ゲームする自分が想像できない
そもそも知らない
買い方を知らない
興味なし
興味がない
昔はやってたけど…
面白いソフトがない
接しにくい
奥さんゲーム嫌い
ゲームは難しい
操作が難しい
テレビの字が読めない
コントローラを持つ気がしない、怖い
空白地帯
手軽
暇潰しに携帯電話でテトリス
面倒な料理はしない
遊ばない人も楽しい
ゲームを見ているだけで面白い
周りの声が聞こえるゲーム
躍動感
体が動くゲーム
元気がよく見えるゲーム
人からの推薦
たまごっちブーム
ポケモン旋風
mixiはやらざるを得ない
周りがやるとやりたくなる
ネットのおすすめ記事
ゲームを見ること
ゲームは見るだけ
ニコ動でゲームを見る
友達宅でゲームを見るだけ
G
ゲームやる
複数人でする
子どもの競争心を育む
人相手のゲームは複雑
競争でゲームは続く
女性がワイワイ遊ぶ
鍋みたいなゲーム
笑う
ゲームでコミュニケーション
スタイリッシュにひっくり返す
ニコニコしながらゲーム

スタート地点の近くには、**〈ゲームを知らない〉〈興味なし〉〈接しにくい〉**といったグループが増えています。ゲーム業界では大作ゲームともてはやされるものであっても、ゲームを知らず興味もないユーザーにとっては何ら意味はありません。

仮に大作ゲームに多少興味を持ったとしても、ゲームの操作が難しすぎて接しにくいために、途中で投げ出してしまうこともあるでしょう。こういったことは考えてみれば当たり前の話に思えますが、コンセプトワークの冒頭では誰もが言葉にすることができなかった問題だったという点に注目してみてください。言葉はおろか意識にすらのぼっていませんでしたし、そもそも「大作ゲームがなければ次世代機は成功しないはずだ」という思い込みの中で議論をしていたはずです。

また、**〈悪影響〉〈罪悪感〉**といった心理的な障壁も明らかになってきました。『子どもに悪影響』といった付箋は、ゲーム業界の中にいた私も身につまされる問題でした。これだけゲームのことが好きなのに、「自分に子どもができたら、ゲームをさせるだろうか？」とフッと脳裏をよぎってしまう自分のことが、どうしても納得できませんでした。

その他にも、**〈ゲームには実利がない〉〈資金や労働力などのリソースがない〉**といった問題が提起されている一方で、**〈ゲームを見るだけで楽しむ人もいる〉〈人から推薦されたらやる〉**といったゲームを楽しんでもらうためのアプローチについても、手厚く付箋が揃ってきました。

その結果、合計34枚の付箋が新たに生み出され、14のグループが追加されて場所の調整が終わったにもかかわらず、現場はまだ議論が白熱しているようです。

◆

玉樹「一生懸命に付箋の場所を調整しても、どうしてもスタートとゴールの間に空間が生まれてしまいますね。もともと物語は『つ』の形で右に大きく湾曲しているので、このあたりに何もなくても特に問題はないように見えますけど、コンセプトワークでは空間にこそ意味があるので、さっきから気になってしょうがないんです」

黒助「えらく弱気だなー、珍しく」

美紅「ちょうど空白地帯を避けて物語は成り立ってるんだから、気にしなくていいんじゃない？」

米吉「空白があるっていうことは、**僕たちにはまだ意識できていない何かがある**っていうことになるんでしょうか……」

玉樹「まさにそうかもしれないから、困ってるんだ。そもそもこのあたりって、スタートからゴールへの最短距離なんだよね。ゲームを知らないし興味もないからゲームをやらなかった人が、推薦されてゲームを見て、最後にはゲームをやるようになった、という流れのはずなんだけど……」

コンセプトワークのリーダーであるあなたは、ついつい不安を隠したくなるでしょう。しかし、コンセプトワークをここまで進めてきたとき、冒険の仲間はすっかりたくましくなっているはずです。皆でコンセプトを作るんですから、今こそ仲間を頼るときです。

そして私の不安も、案の定、仲間に救われることになります。

黒助「何だか図々しい話だな。それでゲームを遊んでもらえるんなら、ＣＭ打っときゃ十分だろ？」

美紅「……あ、そうよ！　広告なんだわ！　『つ』の字型の右側のルートが私たちが考えていた物語だけど、もう一本物語があるのよ。ゲームを知らないユーザーに、ゲームを見せたり推薦したりして遊んでもらおうっていうＳからＧへと一直線に下に行く近道ルートがあるわ！」

物語化5：テーブルの上でまだ解釈できていない場所（「仮の物語」に乗っていない付箋や、付箋がない空白地帯）にも解釈を加える。問題解決のルートが複数ある場合は、それらすべてに矢印を引く

玉樹「しかも、CMで何百万人を一気にゲームに振り向かせる方法ですね。お金はかかるけれど、お金さえあれば何とかなっちゃうアプローチだ」

黒助「そんなの実際、今だってやってるし。何にも新しいゲーム機にはならんわな」

米吉「じゃあ、ルートとして成り立ってはいるけど、お金がかかるから実現するのは難しいルートということになりますね」

葉月「でもさ、『つ』の字ルートだって、お金かかるんじゃないの？　ゲーマーの間でも趣味志向は色々あるだろうし、解決しようと思ったら個人向けに何百本、何千本もゲームを作らなきゃいけないよね？」

葉月ちゃん、実に痛いところを突いてくれました。

玉樹「スタート地点から右に抜け出して『ジャンルの偏り』『ゲーム脳』『悪影響』『一人ですする』『ゲームが好きだ！』『実利がない』と通って大外に行くという物語だと、1つ1つに対応するため、ゲーム本体自体に大量の機能をつけなきゃいけないし、多種多様なソフトを開発しなきゃいけないようで、やっぱりお金がかかっちゃいそうですね……」

美紅「大外ルートには**〈1人でする〉**なんてジャンルもあるじゃない？　次世代機を作っても、結局1人でゲームするっていうところも問題だわ」

米吉「遠回りルートは、1人のユーザーにゲームを始めてもらうための道筋なのかもしれませんね。ハイスペックな機械と大作ゲームがあって、好きなジャンルのゲームもある。これって、ゲームが発展してきた初期の頃のゲーマー像です。どんどん個人が深くゲームを愛するようになって、そのかわり悪影響が叫ばれるようになって……。これまでのゲーム業界の発展の仕方そのものですよね」

私は米吉くんの言葉を聞きながら、ユーザー1人1人にゲームを始めてもらう大外ルートの是非について考えていました。それはたしかにゲーム人口を拡大する方法ですが、あまりに途方もない茨《いばら》の道です。世界に生きる人すべての趣味嗜好に合わせて、最高級のゲームを無数に作らなければならないなんて、実現可能だろうか？　それに、今現在の業界は、そのルートを突き詰めた先で行き詰まっているのではないか？　と。

玉樹「話を整理しましょう。これまでイメージしていた『つ』の形をしたルートは、いわば**個人**をターゲットにしたゲーム人口拡大の物語でした。一方で、新たに見つかった最短距離の上下一直線のルートは、地球上の人間全員に一気にゲームを始めてもらおうとするときの、**マス**をターゲットにしたゲーム人口拡大の物語だということですね」

美紅「途方もなくお金がかかる話だから、空間が空いちゃってるんだわ」

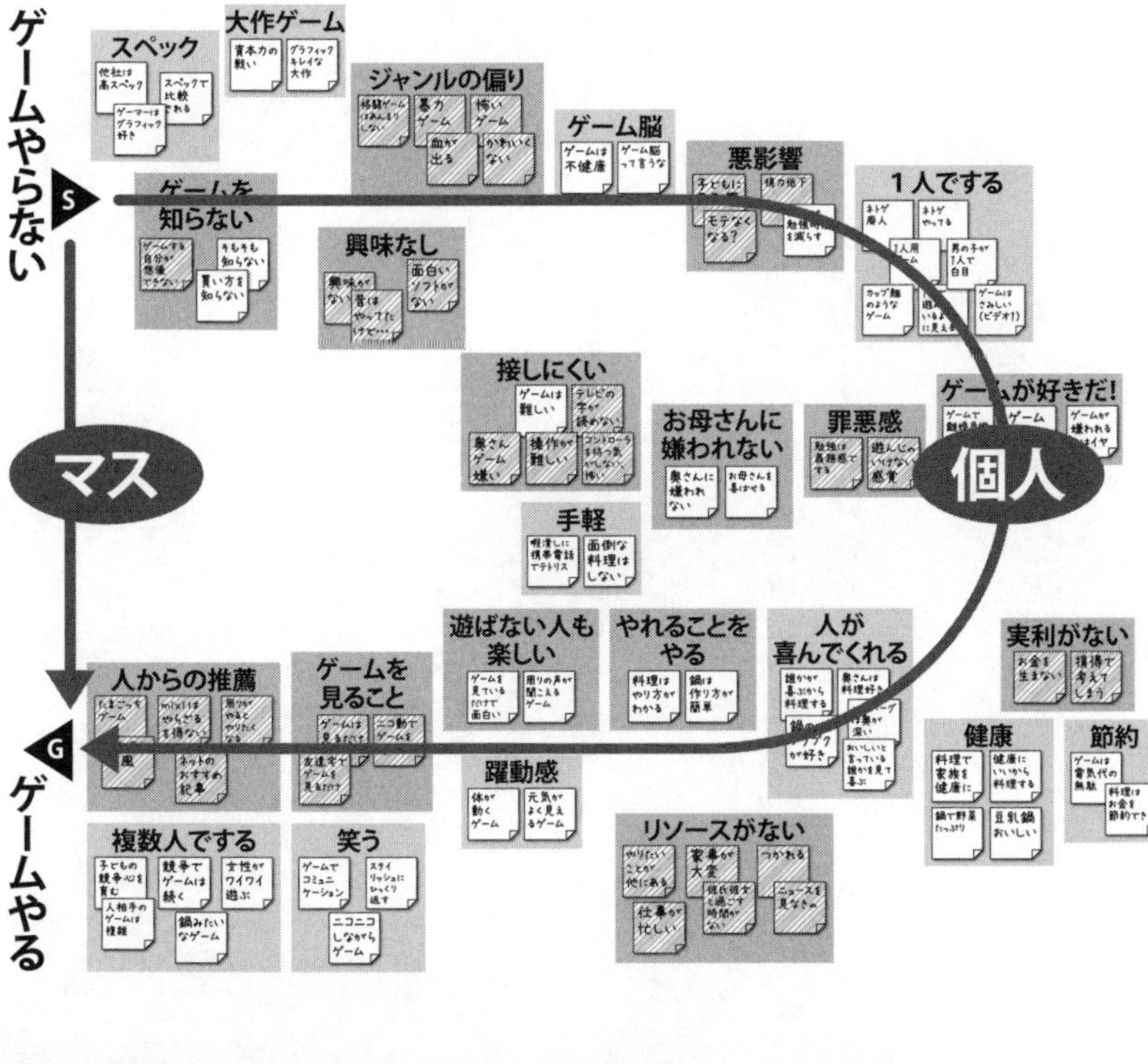

真白「ＣＭでゲームを売るのって、ゲーム自体で売れてるのとは違う感じがして、私、あまり好きになれません」

葉月「そうだね。マスのルートはそもそもゲーム機の企画じゃないよ。けど、ぶり返しちゃって悪いけど、個人ルートもお金はかかるよ？」

玉樹「大外ルートって、１人１人のユーザーにぴったりフィットしたコンテンツを、大量生産しなきゃいけないんですよね。ルート上には**〈ゲーム脳〉**のような悩ましい問題が並んでいますし、さらには**〈実利がない〉**なんてグループもあったりして、ゲームの中でお金のやり取りが発生するゲームとか、けっこうキナくさい話になりそうです」

黒助「じゃあ、個人ルートも無理ってことかよ？　それじゃあ、これまでの議論は意味がなかったってことか？　マスも個人もダメだったら、他にアプローチの方法がないんじゃないのか!?」

玉樹「コンセプトワークでウソをついたって仕方ないよ。みんなの言ってることは、きっと正しいと思う。マスルートも、個人ルートも、たしかに現実的ではない」

私は用心深く言葉を選びながら、現状をまとめます。2つのルートは、両方とも現実的ではありません。

葉月「え、ダメなの……!? コンセプトワーク、失敗?」

黒助「勘弁してくれよ〜。……おい玉樹、何とかしろよ! ここまでの苦労が水の泡じゃねーか」

美紅「仕方ないじゃない、出ないものは出ないってときもあるわよ。マスと個人のルートはダメっぽいっていう現状分析ができただけでも、儲けものだと思うけど」

真白「うぅ……」

玉樹「……こんなふうに壁に突き当たることもあります」

黒助「それはわかったよ、十分なほどに(ため息)」

玉樹「でも問題はここからなんだ。ここで諦めちゃダメで、どこかに突破口があるって信じて、じっくりテーブルを眺めてみようよ。みんなが出してくれた付箋は、きっと何かコンセプトに足る物語を語っているはずなんだ。語らないはずがないんだ」

私は必死に目を動かし、そこにある物語を見つけようとします。

しかし、それはほんの少しの気配すら見せてくれません。

美紅さんは腕を組んで天井を見上げてしまいますし、真白ちゃんは自責の念に駆られているかのように、しょんぼりしています。

美紅「いやー、まいったわね……」

米吉「……他に何か、コンセプトワークでよく使う手法とかないんですか？　玉樹さん」

玉樹「よく使う手法？　うーん……そうだ、まだ使ってない質問があったよ。**状況を映画に例えるっていう方法**。僕たちが今いる状況は、どんな映画に似ているかって考えるんだよ。自分で言い出しておいてアレだけど、正直なところ、絶体絶命なシーンだね」

黒助「悠長なこと言ってる場合かよ！」

玉樹「まぁ落ちついて、黒助。コンセプトワークって、全体的に悠長なことだと思うよ。逆に言えば、悠長じゃなきゃいけない。急げば急ぐほど、答えを見つけようと思えば思うほど、僕たちは狭いところでしか物事を考えられなくなる。今日だって、ゲームとは全く関係のない料理の話をしていたら、新しいゲームのイメージが広がっただろう？」

黒助「わかっちゃいるけど、そんなふうにして進めてきたコンセプトワークが、今まさにコケそうだから困ってんだよ、みんな」

米吉「まぁまぁ、考えましょうよ、黒助さん。きっと何か答えは出ますって」

　黒助はじっとテーブルをにらんだまま、黙りこくってしまいます。そんな黒助に気を配りながらも、楽観的な態度で米吉くんが、1人気を吐いてくれました。

米吉「この状況を映画に例えましょう。私たちには2つの選択肢があって、どっちもマズイことが分かりました。映画なら、愛しい彼女と大切な故郷のどちらかなら救えるけど、どっちも選び取りたくないという選択肢の間で、主人公は苦悩しているって感じでしょうか」
葉月「あたしなら故郷だね、彼氏なんて信用できないもん」

葉月ちゃんは、どこまでも心臓が毛深い。

真白「私ならどっちも選びたくありません。どっちも死なせない第三の方法を探します。映画だったら、きっとエンディングは彼女と故郷で結婚式をあげてます。絶対そうです！」
黒助「それって映画の中だけの話で、現実の世界では、両方取ろうとしてどっちもつかみ取れないってことになりうるんじゃねえか？　二兎を追うものは一兎も得ずの格言通り」
米吉「否定は禁止ですよ、先輩。映画に例えるっていうことは、きっとそういうことです。現実の世界って、奇跡はそうは起こらないんですよ。けど、映画の世界なら奇跡はだいたい1時間に1回は必ず起こるんです。それぐらいの感覚でコンセプトワークするのがちょうどいいんじゃないかなって、今になって思いました。

僕たちが解かなきゃいけない問題は、マスを取るのも個人を取るのも難しいけど、それ

でもゲーム人口を拡大しなきゃいけないっていう問題です。マスだろうが個人だろうが、どちらのルートで攻めてもゲーム人口は少なくとも1人は増やせます。けど、僕たちはもっと爆発的に、最高のエンディングを迎えるのにふさわしいぐらいにゲーム人口を増やさなきゃいけないし、そんな未来を企画しなきゃいけないんです」

米吉君が胸を張って話しているのを頼もしく聞きながら、私はある言葉にひっかかります。

……「人口」？

そうだ、コンセプトワークでテーブル全体を理解しようとするときに使う手法が、まだ残っていた！

玉樹「米吉くん、ありがとう！　ヒントになるかもしれないことを思いついたよ、このテーブルはよく見ると、**横軸に人数が現れてるんだ。**

左側にはマス、つまり無限大の人数だよ。そして、右側には**個人、最小の人数……つまり1人**。スペックや大作ゲームは万人に伝わるし、カップ麺のようなゲームは1人で遊ぶもの。ゲームを知らない一般大衆と、ゲームを愛してくれている個々のユーザー。そして横軸には**『人数』が現れてるんだ！」**

美紅「たしかに右側に行けば行くほど個人的な問題になってるし、左側は大人数ですることがまとまってるわね。何となく直感で付箋を整理していたけれど、私たちが気づいていないこと、言葉にできていなかったことがあったってことね」

コンセプトワークをするうえで、わざわざ発言を付箋に残し、位置を調整していく意味がここにきて花開いてきました。

私たちの頭の中には、感覚的には気づいていても、それをうまく言葉にできていないことが多分にあります。

「マス」と「個人」という2つの言葉を並べて見ても、そこに「人数の大小」とい

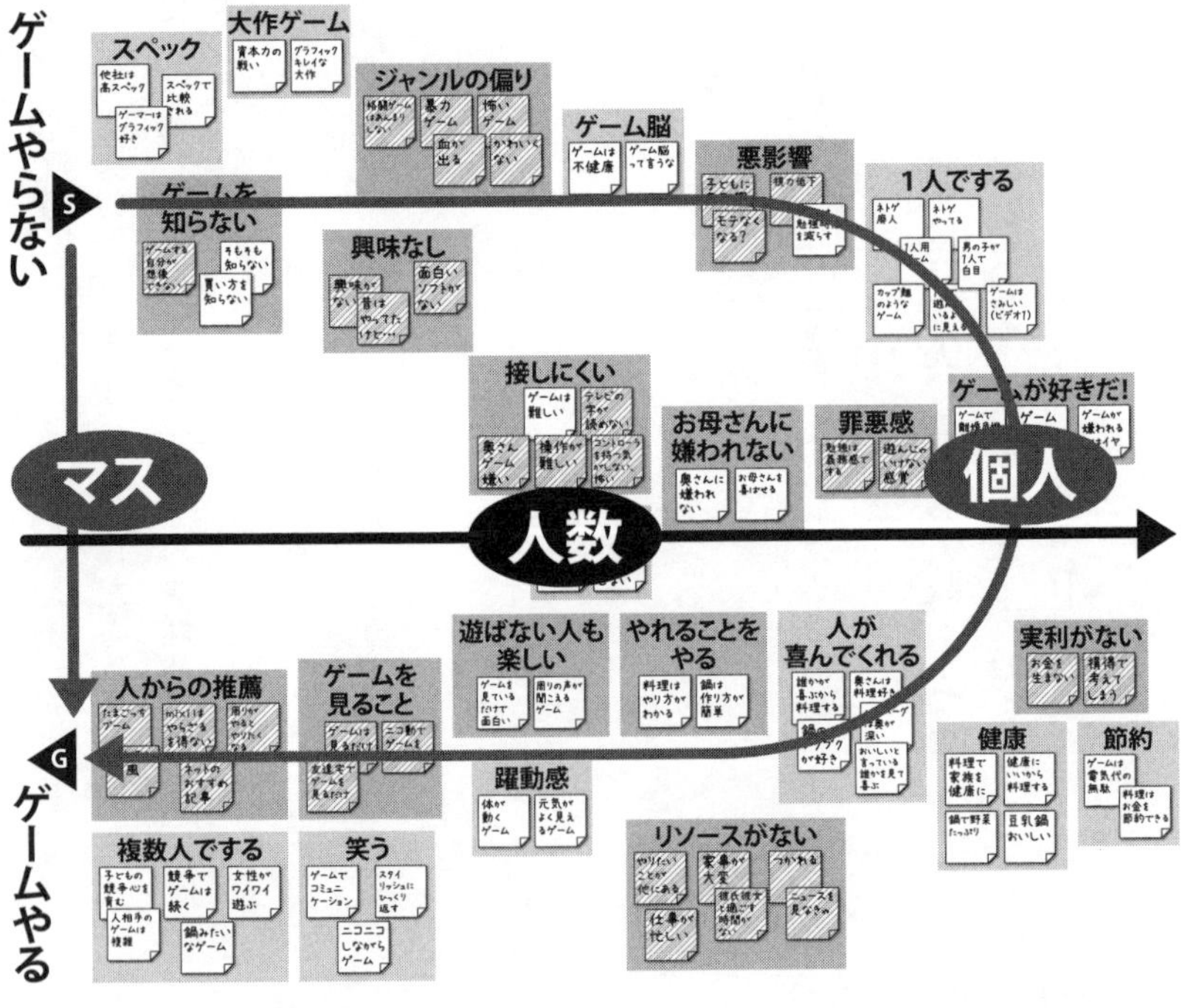

う軸があるということに気づくのは、案外できないものです。それはあまりに当たり前すぎて、言葉にすると陳腐な響きに聞こえたり、指摘しても喜んでもらえない発言だったりするので、ついつい口ごもってしまったり、考えから除外してしまうものだからです。

コンセプトワークの最終手段：どの問題解決のルートも実現が難しそうで、コンセプトワークの答えとしてふさわしくないものであることがわかったとき――それはすなわち、未だ見ぬ他の問題解決のルートが隠されていることを意味している。行き詰まったときは、一歩引いて付箋を眺める。そして全体を俯瞰してみることで、今は見えていない大きな軸を見出す。（今回の例では、「マスに訴えかける」というルートと「個人に働きかける」というルートの上に「人数」という大きな軸が見出された）

コンセプトワークの最終局面では、この例のように、目に見えない軸が構造の中に現れることが多いので、パーティーのリーダーであるあなたは常に「軸は見つからないだろうか？」と意識しておくと良いでしょう。

黒助「それがコンセプトと、どう関係があるっていうんスか？」

美紅「黒助くん、マスと個人は、最大の人数と最小の人数よ。つまり……」

葉月「真ん中が抜けてるってこと！」

米吉「彼女と故郷を救う方法は、彼女だけを救う方法でも故郷だけを救う方法でもなかったんですよ」

黒助「何だよ〜、わかってないのは俺だけかよっ!?」

黒助以外のみんなは、すでに答えが見えているようです。仲間の意見に助けられたことに内心ホッとしながら、次を続けていきます。

玉樹「3本目のルートがあるんだよ、マスと個人の真ん中に。僕もやっと見つけたよ。マスを取るのは難しい、個人を取るのも難しい。だけど、お母さんにも楽しんでもらえるゲーム機を作って、**家族みんなに楽しんでもらう**ことなら、できるかもしれない」

真白「お母さんにゲームが嫌われているから、家族全員がゲームを楽しむ機会がなくなるんですよね。逆に言えば、お母さんをきっかけにして、**マスでも個人でもない『家族』っていう単位でゲームを楽しんでもらえるっていうことですね！**」

米吉「僕の実家のお母さんは、居間の大きなテレビに接続してたゲーム機を片づけちゃうんです。あれじゃあ、家族みんなでゲームすることもないですよ」

玉樹「よし！　真ん中のルート、物語化してみる？　米吉くん」

米吉「えっ、僕ですか!?　えっと……

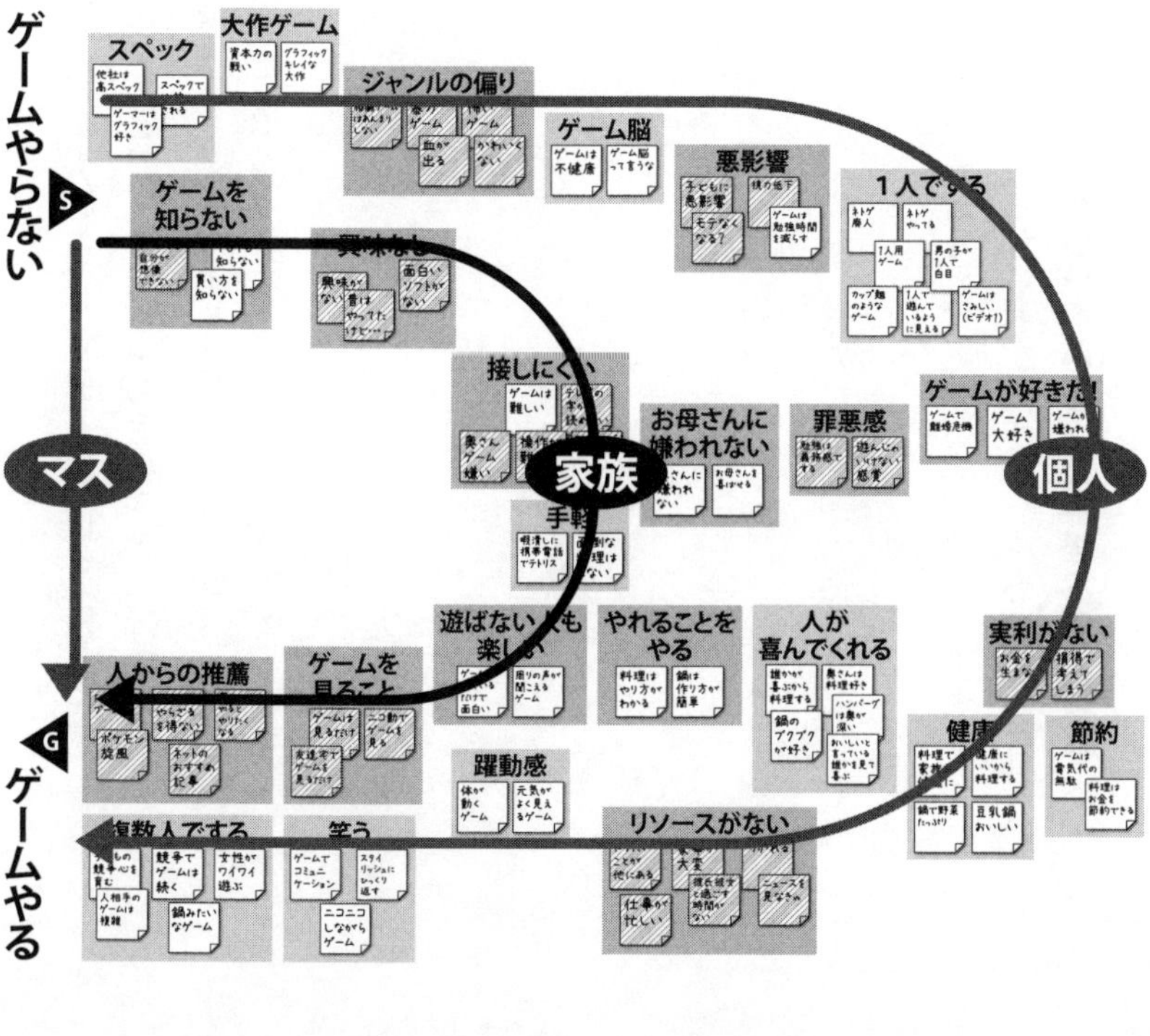

〈ゲームを知らない〉し〈興味がない〉人にも〈ゲームを楽しめる〉ように、〈接しやすく〉〈手軽に〉楽しめるゲーム機を作る。そうすることで、〈家庭の中のお母さんに好かれ〉て、さらに〈家族みんなにも楽しんで〉もらえる。〈ゲームを遊ぶ家族の姿を見ているだけで楽しく〉なって、〈お母さんを遊びの輪の中に誘う〉ことで、〈お母さんにもゲームを楽しんで〉もらえるようになる。

こんな具合でどうでしょう……？」

玉樹「素晴らしい！」

黒助「家族、ねぇ……」

黒助はまだ狐につままれたような顔をしています。しかし、まんざらでもなさそうです。

美紅「マスルートも個人ルートも、結局はお金の勝負になるわ。ＣＭ打ったり、たくさんゲームソフトを作ったり。けど、家族ルートなら、私たちがこれから作るゲーム機の設計の部分で実現できるかもしれない。そこで必要なのは、**〈接しやすさ〉**とか**〈手軽さ〉**とか**〈躍**

動感〉とか、**〈人が喜んでくれる〉**とか**〈健康〉**とか**〈複数人でする〉**とか、**〈笑う〉**とか。
……要は、鍋みたいなゲームよね。黒助くん、あなたが出してくれた付箋じゃない？『鍋みたいなゲーム』って」

葉月「離婚危機に陥っていたのは黒助さんですよ？」

黒助「はいはい、すいませんでした！」

玉樹「米吉くん、ありがとう。素晴らしい指摘でした」

米吉「は、はい！　ありがとうございます！」

玉樹「いよいよここまでたどりつきましたね……。皆さん、今の話、納得できました？」

美紅「ばっちりよ。長かったけど、やっと問題の解き方が見えてきたわね！」

玉樹「もうちょっとでコンセプトが完成しますよ。ここでいったん、休憩しましょう！」

黒助「まだ続くのかよっ!?」

物語化6：参加メンバー全員の同意を得られるまで物語化を続ける

コンセプトワーク ステップ4 物語化1〜6の手順を踏みながら〈仮の物語〉を更新し、まとめ上げる

ひたすら広告を打つことでユーザー全員にゲームを遊んでもらおうとする「マス」というアプローチと、あらゆるニーズに応える商品を可能な限り大量に投入する「個人」というアプローチは、いずれも圧倒的なリソースが必要になります。いわば、それは「既知の良さ」に属するアプローチです。ゲーム業界は、計らずも長年にわたってこのアプローチを選択し続けてきました。

しかし、これまでのゲーム業界のやり方と一線を画した方法が、「家族」という言葉で提示されました。改めて考えてみると、「家族」というキーワードは、ゲームという言葉とはかけ離れたイメージを持っている言葉です。にもかかわらずコンセプトワークの現場では、作り上げた物語によってメンバー全員に深く理解されている点が注目に値します。

さて、いよいよコンセプトワークは最終局面に入っていきます。

テーブルの上に広がった星空には、3つのルートが隠されていました。そのうち2つはダミーで、勇者のパーティーが読み解かなければならない未知の良さへと続くルートは、ダミーとダミーの間に巧妙に隠されていました。すでにルート自体はできていたのに、私たちが無意識に覆い隠してしまっていたんですね。

私たちの心から生み出された星々は、星座をなした星空となり、新たな物語を紡ぎ始めました。いまや星空は、あたたかい光に満ち満ちています。


仲間が発する個々の発言は、たとえそれが真に必要とされるビジョンであったとしても、1つ1つは簡単に否定されてしまうほど、脆いものです。しかし、発言同士がつながり合い、星座をなして星空に広がり、1つの物語を語り出した今、もはや否定できないほどに強く光輝く星となってきました。

しかし、コンセプトをめぐる冒険の最後に私たちが戦うことになるのは、星空の光と対をなすものです。それは星空の光が眩いほどに、色濃く私たちにすがりつきます。


そう、私たちの影です。

13　影との戦い：コンセプトの完成

玉樹「さて皆さん、休憩中に何か思いついたことがあったら、シェアしてくださいね」

米吉「『家族』ってあたたかくて、人間味があって、個人的にも好きな方向性ですし、新しい試みとしてユーザーの皆さんに問いかけてみたい、一緒に世界を変えてみたいって思えます。照れくさいですけどね」

葉月「このメンバーは誰も否定しないでしょ？　けど、誰かに説明しようと思うと、困る。この場所にいれば信じられるけど、この部屋を出ると不安になる気がする。だって、今までの私たちの仕事を完全に否定する答えが出てるもん」

米吉「うーん……。何かこう、奇跡みたいな感じなんです。そんなことが起こったら奇跡だって思います。奇跡なだけに、現実味がないというか……」

「のぼっていく」第五の試練

美紅「私みたいなベテランがいちばん言っちゃいけないことだろうけど……。それができる、成し遂げられるっていう確証がほしいのよね。このあと私、この場で出たコンセプトを経営陣に説明しなきゃいけないから。そのときにはみんなにも一緒に来てほしいと思ってるから、みんなが堂々と胸を張れるように、この段階でしっかりと自信をつけておきたい。不安だもの」

珍しく美紅さんがしおらしいことを言っています。星空の物語があまりに光り輝くので、それと相反するように心の中に影が生じている……そんな状況です。しかし、これは正常な反応です。皆で紡ぎ出した物語に対する不安を、つぶさに拾い上げてください。

影を乗り越える1：物語に対する不安をヒアリングする

真白「ビジョンは共感できるんですけど、じゃあ何をすればいいの？　という具体的なところがまだ見えてきていませんね」

玉樹「そうだね。**コンセプトは、ビジョンとアイテムから成り立ちます。『○○なアイテムを用いて、××というビジョンを実現したい』という構造です。**現在、テーブルの上には、ビジョンはたくさんあると思います。その結果として『家族』というビジョンの親玉みたいなものが姿を表しています。一方で、まだアイテムが不足しているんです。何を作ればビジョンを実現させられるのか？　いちばん欲しいのは、そこだと思うんです」

黒助「開発スタッフが知りたいのは結局そこだもんな。じゃあさ、ここでスペックとかの細かい仕様（個々の機能）まで決めちゃえばいいってこと？　今から細かい技術論を詰めるとなるとエライ時間かかるぜ？」

玉樹「ここにいるメンバーは優秀だとは思うけど、この人数で個々の機能を考えていくというのは大変だよ。今は大まかな方向性だけでいいんだ。ここで作ろうとしているのは、あくまでも据置機だよね。据置機を作るために使えるものが今求められるアイテムだから、いくつかのアイテムについて考えてみよう。きっと目の前の付箋が助けてくれるから。

たとえば〈スペック〉はアイテムだけど、僕らが据置機作りで実際に選択できるスペックの中で、僕たちが選択すべきはどの程度のスペックだと思う？」

黒助「スペックは高いほど良いに決まってるだろ……って、昔の俺なら言ってたな、実際」

米吉「スペックが大切なことには変わりはないですけど、今集中すべき『家族』という物語に沿って言えば、**〈ゲームを知らない〉**という人に買ってもらいたいっていう願いなんですよね。だったら、ちょっと言葉にするのも怖いですけど、スペックはそこまで重要なことではないと言えると思うんです」

美紅「過激な発言ねぇ。部屋の外で言ったら色々物議になるわよ？」

玉樹「ですよね……けど、僕もそう思うんです、今ここでコンセプトを出そうとしているゲーム機では、スペックは最重要課題ではなさそうです。少なくとも、ゲームを知らない人にもすぐにスゴさを理解してもらえるぐらい超高性能なスペックが実現できないようなら、スペックはいったん優先度を下げてしまって構わない……。

ええっと、スペックの他にも、ゲーム機にはさまざまな要素がありますよね、**コントローラー**とか、**ネットワーク**とか、**本体内蔵のメニュー**とか、**物理的形状**とか、**消費電力**とか、**ケーブルの本数**とか。テーブルの付箋をヒントにして、いろんなアイテムを出していってみましょう。きっとこれが、最後の付箋出しになります」

葉月「じゃあ最初に思いつくのは……スペックをどれぐらいにするかだね！　少なくとも、コントローラーよりも、優先度が低いよね。『コントローラーを持つ気がしない、怖い』っていう付箋は、**〈お母さんに嫌われない〉**っていう家族のいちばん大切なところにめちゃくちゃ近いもん」

米吉「葉月さんって、このコンセプトワークの大切なところを本能的に理解しているみたいですね！　今の話で、何をやればいいかはっきりイメージできました！」

大切なのは、最後に出た大きな軸である『家族』のルートを形作っている付箋やグループです。そこに含まれているものは優先度が高く、含まれないものは優先度が低くなります。

コンセプトワークのステップ4〈物語化1～6の手順を踏みながら、〈仮の物語〉を更新し、まとめ上げる〉までたどりついたとき、物語が明確な1本の矢印としてまとめられていれば、特に大切な付箋が物語の矢印の下に自然と集まっているはずです。

今回の例の場合、『マス』と『個人』のルートに乗っているものは優先度が低く、『家族』のルートに乗っているものは優先度が高いと推測できます。

テーブルの中からアイテムそのものやアイテム同士の優先度を見出したり、新たに付箋から連想してアイテムの付箋を足したりしながら、**物語にアイテムの付箋を付け足していきましょう。**

真白「どんなコントローラーを作らなきゃいけないのかも、何だかもう書いてあるみたいですね。**〈お母さんでも接しやすく〉**て、**〈手軽〉**で、**〈使い方がすぐわかる〉**ようなものじゃなきゃいけなくて、**〈遊んでいる人を見ているだけでも楽しい〉**ものですね」

玉樹「バッチリです。『**新しいコントローラー**』というアイテムの付箋を追加しておきますね。ここに置かれた瞬間、周りの付箋が含んでいるビジョンを受け止める責任がこの『**コントローラー**』というアイテムに生まれます。あらゆる付箋はつながっているんです」

黒助「今までとは全く違うコントローラーになりそうだな。何だー、今まではいかにゲームを面白くしなきゃいけないかってことばかり考えてたよ」

葉月「何だか、何でもアリって感じね。**変な機械**ができそう」

『何でもアリ』という言葉を聞いて、私はコンセプトワークが成功裏に終わりそうだという感触をじわじわと感じています。普段の私たちは、時間やプライドに制限されながら、失敗することも許されず、混乱しながらも必死になって企画を考えているといえます。いわば『何でもナシ』と表現できるほどの、強烈な束縛の中でものを考えている……そんな状態では、通り一遍のどこかで見たような企画ばかりができ上がってしまいます。

たとえば、「ハイスペックの機械を作ろう」という既知の良さを志向した企画は、一見すると冷静な判断に思えるかもしれませんが、私はむしろ逆だと思います。**混乱しているから、既知の良さに頼るしかない状況に陥っている**のです。早く結論にたどりつきたいという気持ちをぐっと抑えて、居心地の悪い場所の中でもがき続けなければいけません。

玉樹「いいね！　変な機械。大歓迎です！（笑）　この調子で、テーブルからアイテムを掘り出していきましょう。付箋が増えるので、付箋やグループの位置がある程度変わるかもしれませんが、これまでと同じ要領でＯＫです」

テーブル上の付箋から連想されたアイテムの付箋が、次々と出されていきます。コンセプトワークの前半では「〇〇したい」「××がイヤ」といったように、心からの素直な発言を推奨しましたが、それはいわば「アイテムを考えてはいけません」というメッセージでもあったんです。

そうすることで、必要なビジョンを冒険の仲間たちから引き出すことに集中できます。

そして**一通りのビジョンを出し終わった後に、今度はアイテムを生み出す段階に移るという流れになっている**わけです。

こうしてアイテムを出し合った結果、次ページの斜線模様の付箋が追加されました。

※新しい付箋を斜線模様で表示

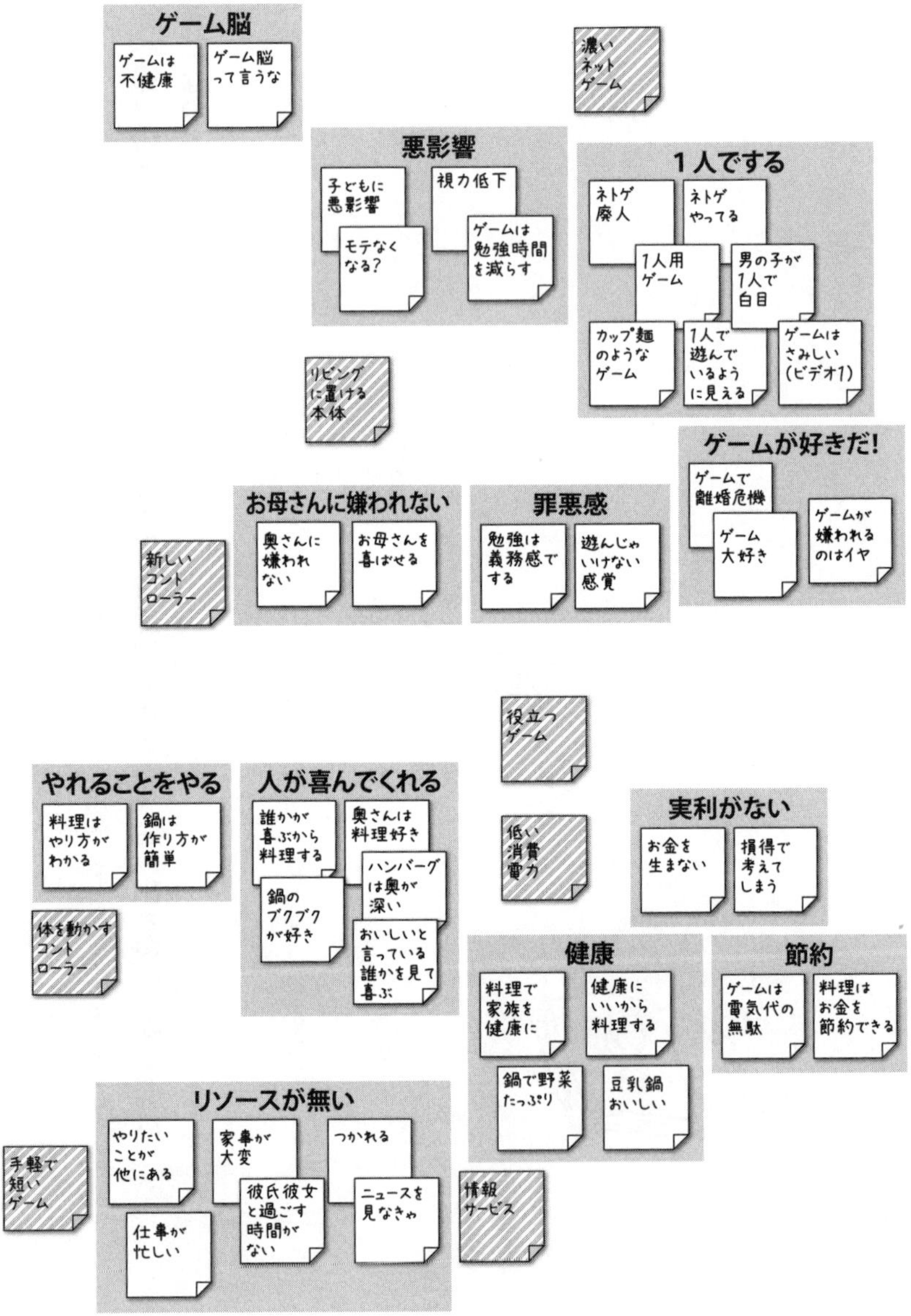

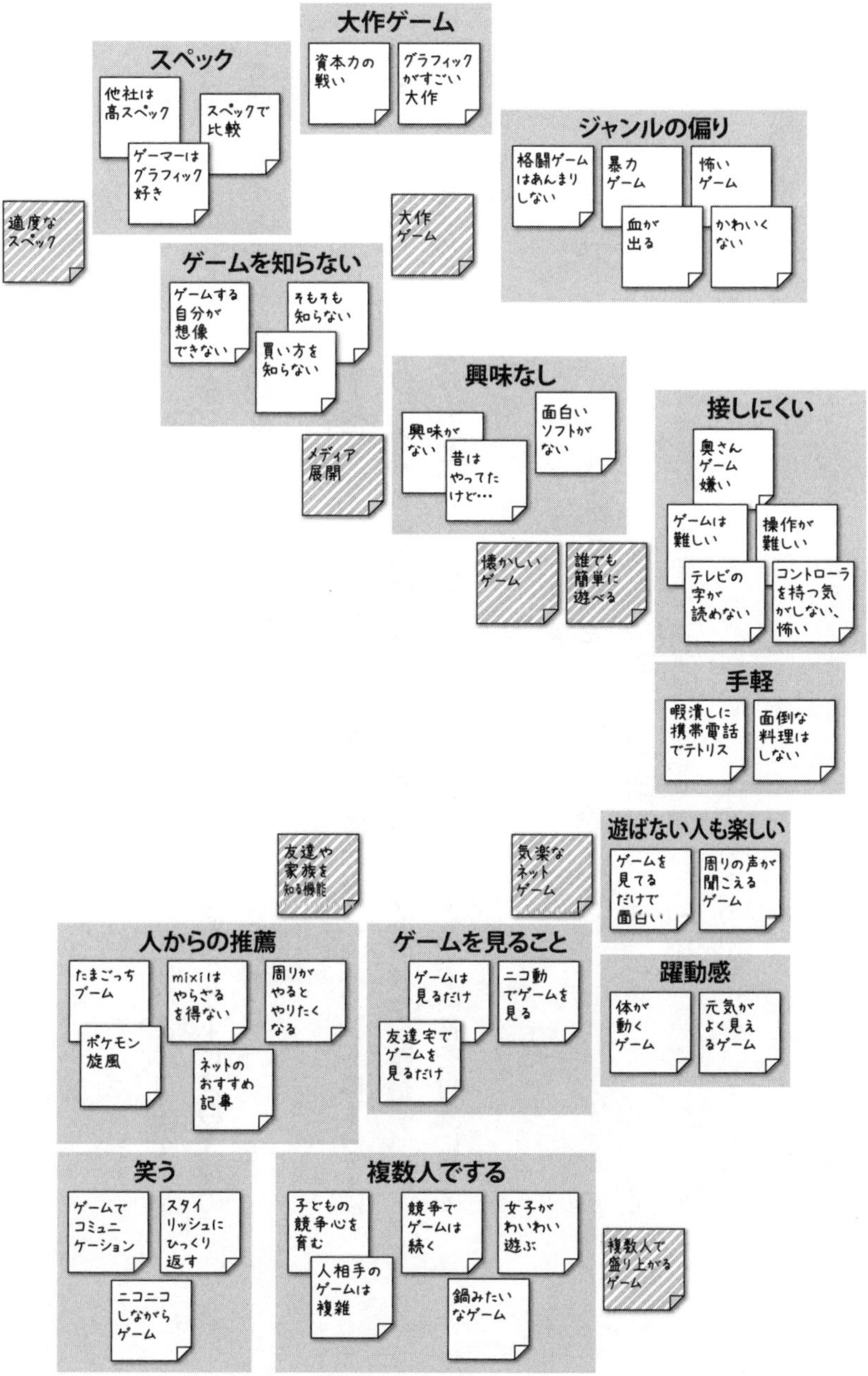

大作ゲーム
資本力の戦い
グラフィックがすごい大作
スペック
他社は高スペック
スペックで比較
ゲーマーはグラフィック好き
適度なスペック
ジャンルの偏り
格闘ゲームはあんまりしない
暴力ゲーム
怖いゲーム
血が出る
かわいくない
大作ゲーム
ゲームを知らない
ゲームする自分が想像できない
そもそも知らない
買い方を知らない
興味なし
興味がない
昔はやってたけど…
面白いソフトがない
メディア展開
接しにくい
奥さんゲーム嫌い
ゲームは難しい
操作が難しい
テレビの字が読めない
コントローラを持つ気がしない、怖い
懐かしいゲーム
誰でも簡単に遊べる
手軽
暇潰しに携帯電話でテトリス
面倒な料理はしない
遊ばない人も楽しい
ゲームを見てるだけで面白い
周りの声が聞こえるゲーム
友達や家族を知る機能
気楽なネットゲーム
人からの推薦
たまごっちブーム
mixiはやらざるを得ない
周りがやるとやりたくなる
ポケモン旋風
ネットのおすすめ記事
ゲームを見ること
ゲームは見るだけ
ニコ動でゲームを見る
友達宅でゲームを見るだけ
躍動感
体が動くゲーム
元気がよく見えるゲーム
笑う
ゲームでコミュニケーション
スタイリッシュにひっくり返す
ニコニコしながらゲーム
複数人でする
子どもの競争心を育む
競争でゲームは続く
女子がわいわい遊ぶ
人相手のゲームは複雑
鍋みたいなゲーム
複数人で盛り上がるゲーム

さて、これでやっとビジョンとアイテムが出揃いました。

もしかすると、ビジョンとアイテムの付箋をどこまで出せばいいのか判断に迷う場面もあるかもしれませんね。しかし実のところ、コンセプトワークには「何個まで付箋を出せば良い」というふうに、数字で明確に表せる基準はありません。**商品・サービスの大枠の方向性がイメージできる程度、アイテムを示す**ぐらいの認識でＯＫです。

今回の次世代ゲーム機の例でいえば、**「〈スペックをどうするか？〉、〈コントローラーはどうするか？〉、〈ネットワークや本体内蔵のメニュー、本体の物理的形状や消費電力、ケーブルの本数はどうするか？〉といったようなものに関するアイテムの方向性を付箋にして出しておく」**といった具合ですね。

コンセプトワークのリーダーであるあなたにとって大切なことは、「ビジョンとアイテムを何個まで出せば良いか？」ではなく、「今私たちが紡ぎ出した〔物語〕は、果たして世界を良くするか？」を考えるだけで良い、といってもいいかもしれません。ビジョンとアイテムをどこまで出すかの判断は、場の雰囲気や仲間たちの表情の変化を見ていれば自然に感じ取れることでしょう。

それはたとえば、今までとは全く別の商品やサービスを届けられるという可能性を感じているときの高揚感あふれる雰囲気だったり、旧態依然と同じ枠の中で動き続けている自分たちの現状を打ち破れそうだと目を輝かせている仲間たちの表情だったりします。

付箋の個数は多いに越したことはありませんが、それ以上に大切なのは、**「世界を良くする」という「コンセプトのコンセプト」に迫っているかを判断すること**なのだということを、どうか忘れないでください。

さて、ここまで来れば、あとは最後の一押しだけです。コンセプトの完成までを、一気に見ていきましょう！

黒助「アイテムとして出てきた『ネットワーク機能』は、**〈濃いネットゲーム〉**というより**〈気楽なネットゲーム〉**ってイメージだな。**〈友達や家族のことを知るための機能〉**をつけたり、ただの遊びじゃなくて実際の生活に役立つ**〈情報サービス〉**を提供する機能をつけたり。多分よそのゲーム機とはまるで逆だな、こりゃ」

真白「**〈リビングルームに置いてもらえるようなデザインの本体〉**で、**〈低い消費電力〉**で家計にも優しいから**〈お母さんに嫌われない〉**。何だか夢みたい！」

美紅「オールドゲーマーでも楽しめる**〈昔懐かしいゲーム〉**に、**〈複数人で遊べるゲーム〉**。うちの会社のコンテンツをフル活用できるっていうのは心強いわね」

黒助「ビジョンも大事なのはわかるけど、アイテムって実際の仕事がイメージできるから、やる気出るな！　早く作らせろ～！」

玉樹「これだけのアイテムを組み合わせれば、ビジョンが達成できるような気がしてきますよね。今まではアイテムが少ない状態でのコンセプトワークだったので、本当に辛かったと思います。

でも逆に言えば、これだけ強くビジョンを意識できているからこそ、アイテムの取捨選択や優先順位づけがしっかりできたんだと思うんです。

僕がコンセプトワークの冒頭で『低消費電力のゲーム機！』なんて言い出したところで、きっと誰にも響かなかっただろうって思いませんか？

まだ次世代機は影も形もない状態ですけど、こうやって丁寧に**ビジョンとアイテムをつ**

なぎ合わせていくことで、コンセプトを信じられるようになるんですね」

美紅「たしかに『低消費電力のゲーム機』なんて最初に言われても、ぜんぜんピンとこなかったでしょうね。でも今なら、そのアイテムの付箋が目の前に置かれている意味がわかる。最初はこんな話にまとまるなんて思いもよらなかったけれど、意外なところに落ちついたわね。一時は本当にコンセプトがまとまるのか心配だったわ……。

でも玉樹くんさぁ、コンセプトワークのときって、ちょっと怖くなるでしょ？　司会者以外の私たちは話の流れにうまく乗っかっていけばいいだけだったけれど、ちゃんとコンセプトが完成するかなんて、事前には全くわからないものね。やっとここまで来れたわね、玉樹くん」

私は照れ笑いを浮かべながら、そんなふうに気遣ってくれた美紅さんに心の底から感謝しました。美紅さんの指摘の通り、コンセプトワークはいっさい成功が約束されないものです。しかし、もしそれを不安に思ってコンセプトワークの前に具体的な青写真を用意しておこうものなら、たちまちコンセプトワークは既知の良さにまみれ、仲間の信頼も得られない無意味な雑談として終始してしまうでしょう。

あくまでも、**未知の良さを発見する**のがコンセプトワークの最大の目的です。

未知の良さを見つけ、市場に大きな変化を起こそうとするあなたの願いは途方もなく大きいものですから、それには不安という代償が必要になる、といえます。長い長い不安の道をくぐり抜けてこそ、あなたは初めて「勇者」として戦いのフィールドに立つことができるのです。

影を乗り越える２：〈仮の物語〉を構成する矢印の近くに優先度の高い問題が隠されているということを意識しながら、アイテムの付箋を追加し、物語を補強する

玉樹「ありがとうございます。皆さんも本当に、ありがとうございます。アイテムの方向性を示す付箋を追加していくことで、〈新しい仮の物語〉をより具体的にイメージすることができましたね。

〈お母さんに嫌われない〉ために、〈リビングに置ける本体〉と、誰もが怖がらず〈気軽に手に取って遊べるコントローラー〉。〈友達や家族のことを知る機能や情報サービス〉、さらには〈昔懐かしいゲーム〉によって家族の誰もが遊べるゲーム機。

なぜそんな機械を作るべきなのか？　という理由は、皆さんが作ってくれた物語そのものです。その物語を信じられる今、ゲーム機の企画がどれだけ過激なものであったとしても、もはや妨げるものは何もないでしょう。

さて、これだけ皆さんが時間をかけて作ってくれたものなので、このテーブル全体がコンセプトと言いたいところなんですが……、コンセプトワークを見ていない他の人がいきなりこのテーブルを見ても、一連の流れを理解してもらうまでには膨大な時間がかかってしまいます。ですから、今まで見てきた物語を伝えやすい形に変えておきましょう！

人に伝えやすくするには、『20文字程度の言葉』に凝縮するのが効果的です。その言葉を、次世代ゲーム機のコンセプトとして大切にしていきたいと思います」

米吉「そうなんですよね、その言葉をしっかり作っておかないと、後から話題にしにくいんですよね……。しかしこれだけの物語をたった20文字にするのって、正直どれだけ言語感覚が強い人でも大変なんじゃないでしょうか？」

美紅「あら、そうかしら？　いちばん大切なのは【家族】っていうことがわかってるんだから、簡単じゃない？　あと18文字しかないわよ？」

真白「うーん、**【家族みんなが楽しめるゲーム機】**というのはどうですか？　あ、でも……こうやって言葉にしてみると、何か普通な感じがしちゃいますね」

米吉「言葉自体は普通な感じかもしれないですけど、このコンセプトワークで話してきたことは全部含まれているので、僕はいい言葉だなって感じましたよ！」

葉月「それって何だか、普通すぎな気もする……どうなんだろう？」

コンセプトワークの終了直前には、テーブル上に無数の付箋とグループがありますし、テーブル全体に無数の見えない矢印が張りめぐらされています。

これらすべてを言葉にするのはとても大変に思えます。しかし、このコンセプトワークを通してやってきたことは、さまざまな考えを付箋やグループ名という短い文字列に封じ込めることです。コンセプトにふさわしい言葉も、すでに出ているかもしれません。

また、ここで重要な考え方としては、**コンセプトは、あらゆるものの原点である**ということです。原点とは何を意味するかについては、現場のやりとりでご覧いただきましょう。

美紅「子どもがいてもおかしくはない世代の私としては、**【お母さんに嫌われないゲーム**

機】っていう表現もありだわ」

黒助「それこそ、子どもは買わないでしょ？」

米吉「あ、あるかもしれないです、むしろ。僕は小さい頃、お父さんが麻雀が好きだって言うから麻雀のゲームとファミコンを買いましたよ。子どもだって親と仲良く遊びたいって思ってるところはありますよ」

玉樹「いい話だなぁ、それ！　いくつもコンセプトの案が出てきましたけど、コンセプトについて1つ話をさせてください、きっとお役に立てると思います。

今決めるべきコンセプトは、プロジェクト（実際の製造現場）で検討されることになる仕様（個々の機能）の原点となる言葉にしなければいけないいんです。これから長い時間かけて仕事をするモチベーションの源流でもなきゃいけませんし、あらゆる仕様の源流でなきゃいけません。そこで考えるべきは、**【家族】と【お母さん】のどっちが先に大切になるか？**ということです。

さっきスペックの話が出たときも同じような話になりましたけど、結局のところ、あらゆる物事ってすべて大事なんです。スペックだって、良ければ良いに越したことはないです。けれど、そこで僕たちは、スペックを低く抑えることを、優先度を下げるっていうふうに理解しましたよね。

重要性ではなく、優先度……つまり、**先に片づけるべき問題はどれか？** というふうに考えてみると、答えが出るかもしれません」

黒助「うちは……ん〜、間違いなく、奥さんに嫌われない状況になってからじゃないと、家族でゲームはできないな」

美紅「それなら話は早いわね、【お母さん】が先。【家族】全員を相手にするよりも色々とイメージが具体的になるし、何より、さっきまでの不安がなくなった感じがするのよね。何でかしら？」

玉樹「きっと、手数が少なくなったからだと思います。【家族】全員に振り向いてもらうには何手もかかりますけど、【お母さん】だけに振り向いてもらうなら、手数は少なくて済みますよね。ものづくりの4つの原理の中にもありますけど、『できる』って感じられることほど、プロジェクトの背中を押してくれる要素はないと思うんです。

……なんて、小難しいことを言ったりもしていますが、僕自身も【お母さん】という響きが次世代機の未来を象徴しているように感じます」

真白「ですよね！　自分で言い出しておいて申し訳ないですけど、【家族みんなで】と言われるよりは、【お母さん】のほうがピンとくるような気がします。【お母さん】って、家族の象徴みたいですし。私もそんなお母さんになりたいなぁ」

葉月「私もなりたーい！　ウソだけど……（笑）。私も賛成です。【お母さん】を落とせたら、家族全員落とせますよ。私の経験上。うちの家族が全員塩で歯磨きしてるのも、お母さんが原因だもん」

米吉「〝落とす〟だなんて、いやらしい言

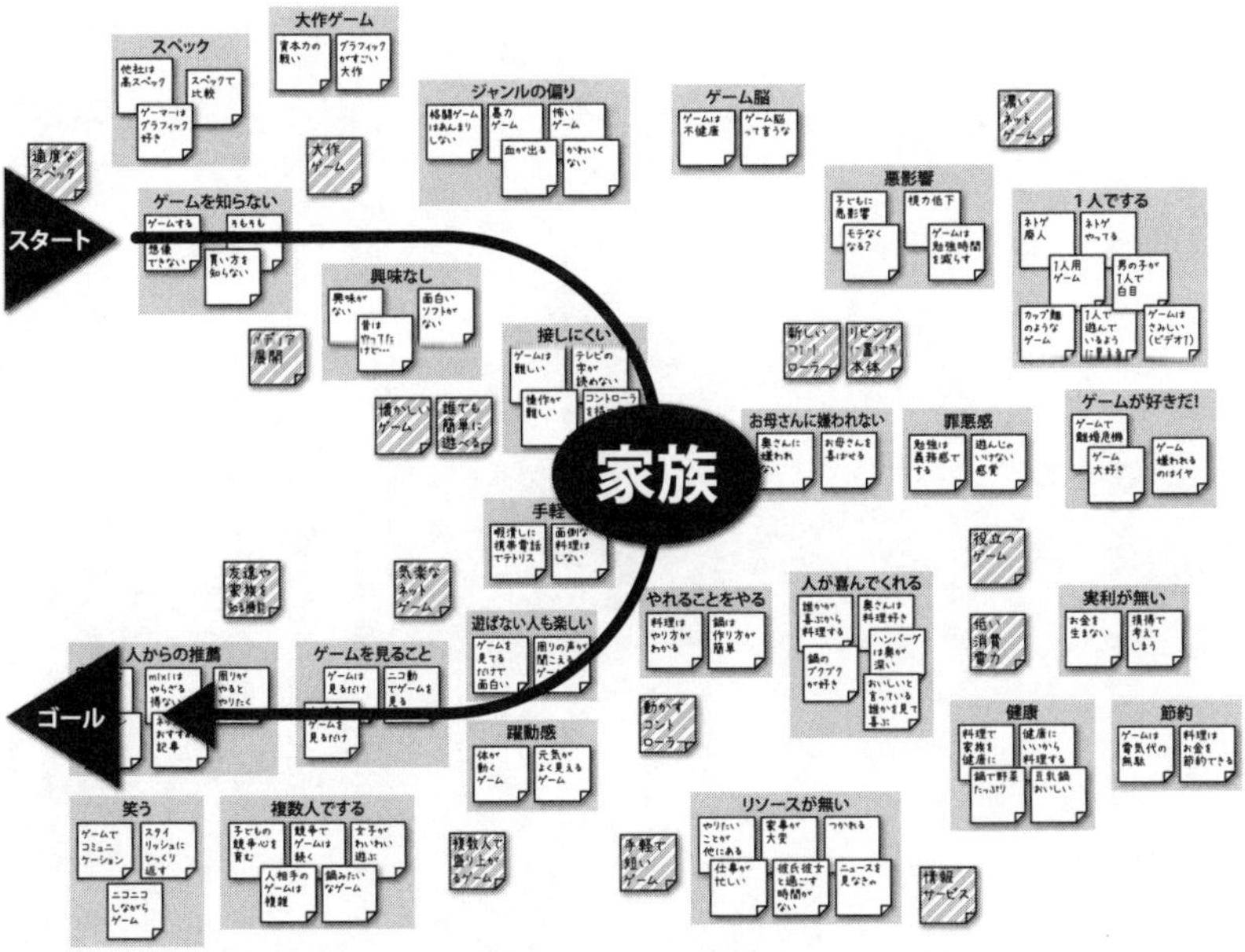

い方しないでくださいよ！　元々は、ゲームをやらない人にも楽しんでほしいっていう僕たちの願いが根本にあるんですから。

でもそう考えてみると、小さい頃にお母さんに怒られながらゲームをしていた僕たちが、大人になって【お母さんに嫌われない】ゲームを作ろうとするのも、何だか当たり前の話みたいに思えますね」

美紅「その当たり前の話がなかなかできないのよ、大人って。いい経験したわね、米吉くん！　じゃあ今日のコンセプトワークの結果、コンセプトは

【お母さんに嫌われないゲーム機】

ってことでいいかしら？」

全員が上気した顔でうなずきました。

玉樹「ビジョンとアイテムが一心同体になった、力強いコンセプトだと思います。ひとまず、デジカメでテーブルを撮影したら、今日のところは終わりにしましょうか」

黒助「よっしゃ、決まり！　終〜わりっ！」

葉月「やった！　ホントのホントに完成！」

玉樹「いや〜……長丁場、本当におつかれさまでした、皆さんありがとうございました！　ササッと片付けて、ご飯でも行きませんか？　ずっと料理の話をしてたので、お腹ペコペコですよ……」

美紅「じゃあ、今日の仕事が終わったら、みんなで飲みに行こう！　米吉くんの『スタイリッシュお好み焼き』を見ないと、コンセプトを本当の意味で信じられないわ」

米吉「うわ、失敗したらコンセプトもダメになっちゃうなんて、プレッシャーですよぉ！」

葉月「そうだそうだ、離婚危機を抱えている方は、早く帰らないと奥さんに愛想つかされませんか？　黒助さん」

黒助「ふん、そのときのために次世代機を作るんだろう？」

玉樹「お〜黒助、いいこと言うねっ！　『離婚危機を解消できるゲーム機』っていうのも付箋にできそうだなぁ……」

美紅「はいはい、もう終わり終わり！」

部屋の中は気づかないうちに熱気に満ちていたようで、廊下はひんやりとしています。汗が冷える心地よさを感じながら、黒助はデジカメを覗き込みながら後ろをついてくる米吉に声をかけます。

黒助「今日は色々と助かったよ、ありがとな、米吉。途中かなり焦ったけど……。コンセプトワークの恐ろしさを味わったな。けどまぁ、面白かった。

それにしても玉樹のヤツ、この調子だとお好み焼き屋の鉄板の上でもコンセプトワークしそうだぞ、まったく」

米吉「大丈夫、心配ないですよ。付箋は増やすものですけど、お好み焼きは減る一方でしょうから。先輩、コンセプトワーク中にお腹が鳴ってるの、バレなくて良かったですね(笑)」

コンセプトワーク

ステップ5

影を乗り越える1～2の手順を踏み、物語を「20文字程度の言葉」にまとめ上げ、コンセプトを完成させる

コンセプトワークの最後のステップは、影を超えることです。

無数の小さな想いをまとめ上げた物語の眩しさは、心の中に影を産み落とし、冒険の仲間の心に不安となって現れます。

逆に言えば、この時点で不安が現れないようなコンセプトは、未知の良さに触れていないといえるでしょう。むしろ、不安になるほうが妥当なのです。

たとえば、「あいつに任せると、プロジェクトは安心だ」と言う上司がいたとすれば、その上司は未知の良さを志向していないということを意味してしまっています。不安を伴うことが約束された未知の良さを含む企画をこの上司は望んでいませんし、そもそも安心を望む上司に世界を変えることはできません。

冒険の旅だって同じことです。絶対にケガしない冒険なんて、冒険とは呼べません。けれど、なぜかそれができないのです、私たちは。

ところで、コンセプトワークを終えた6人は、今頃お好み焼き屋さんで盛り上がっているところでしょうか。不安と戦い未知の良さを勝ち得た彼らに対する報酬としては少なすぎる気もしますが、ひとまず今日は、美酒に酔ってもらいましょう。明日から彼らは、コンセプトワークよりも何百倍、何千倍も広い「ものづくり」という世界へと旅立たなければなりません。

しかし、いまや彼らの心の中には、満天の星空が輝いていて、羅針盤もいらないほどです。皆が共に、同じ星空を見上げているから……。

未知の雲を打ち払う冒険は、いまやっと、スタートを切りました。

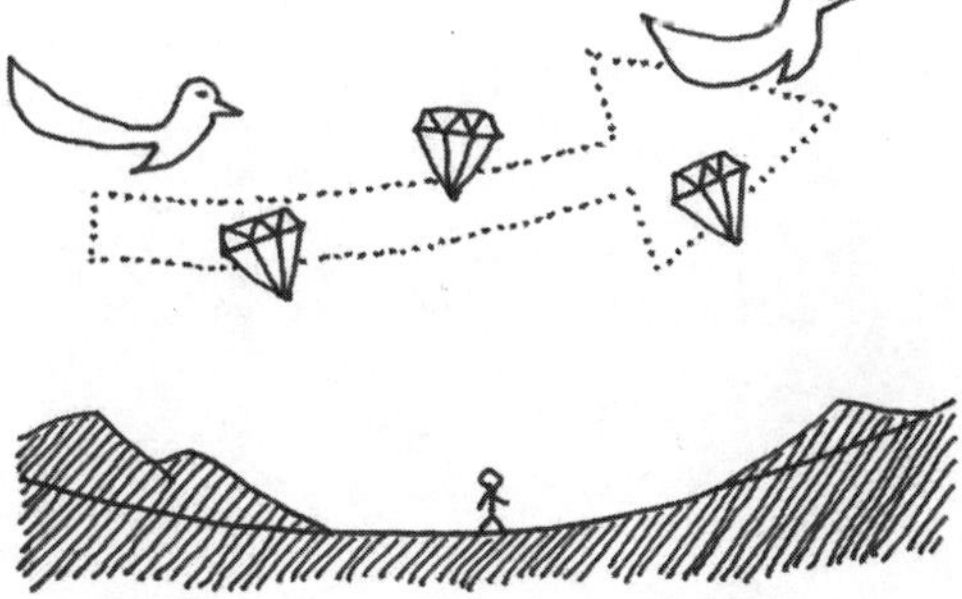

コラム2　孤独の試練 ： コンセプトワークが失敗したら

※このコラム2も、144ページのコラム1と同じく、実際のコンセプトワークの際に必要な細かなテクニックを説明するものです。そのため、はじめてこの本を読む場合は飛ばして読んでいただいて構いません。実際にあなたがコンセプトワークをする際に、「コンセプトワークが失敗に終わってしまったかも……」（＝「このコンセプトでは世界を良くすることは叶いそうにない。このコンセプトは実現するのが不可能に思える……」）という事態に陥ったときに、改めて、こっそり読んでみてください。

星空の物語によって、とうとう指し示された未知の雲の在り処。これから冒険の仲間たちはコンセプトを胸に抱き、ものづくりという壮大な旅に挑むことになります。コンセプトはプレゼンテーションによってその他の仲間たち全員に受け入れられ、ただ1つの目標に向けてプロジェクトは突き進み、やがては未知の雲を晴らす武器「良いもの」を、世界を変える大きな1本の矢として解き放つことになるでしょう。

……しかし、冒険がそう簡単に進むとは限りません。

そこで本コラムでは、もしコンセプトワークが失敗してしまったら何をすれば良いかを解説します。第1のポイントは「コンセプトワークの失敗」とは何かについて正しく把握すること。そして第2のポイントは、失敗という逆境の中でも実行できるコンセプトワークについてです。

前節までのコンセプトワークの例では、ゲームをやらない人がゲームをやるようになるための3つのルートが見つかりました。

・マス　広告などによって認知度を増やし、全ユーザーにゲームを遊んでもらう
・家族　お母さんに嫌われないゲーム機によって、家族単位でユーザーを増やす
・個人　高品質で多様なゲームを作ることで、個人単位でユーザーを増やす

これらのうち「マス」と「個人」ルートは現実的に解くのが難しい問題だという結論に

至った一方で、「家族」ルートは解けそうな問題だという理解を得られたからこそ、最終的にコンセプトとして採用されたわけです。裏を返せば、もし「家族」ルートが見つからなかった場合、コンセプトワークは失敗していたといえるでしょう。

そうなった場合、「個人」か「マス」いずれかの実現が困難なルートを選択し、無理矢理コンセプトとしてまとめ上げてしまうということが考えられます。

ここでは、「家族」ルートを発見できず、「個人」ルートに沿った失敗作のコンセプトを作ってしまったと仮定します。つまり「多種多様なユーザー全てに届くような、ハイクオリティなゲームを量産することに耐えられるスペックを持ち合わせたゲーム機を作ろう」といったような誤ったコンセプトができ上がってしまった場合ですね。

これを**ものづくりの4つの原理「すきになる」「かわる」「わかる」「できる」**（86ページ参照）のフィルターにかける形で見てみると、およそ次のようになります。

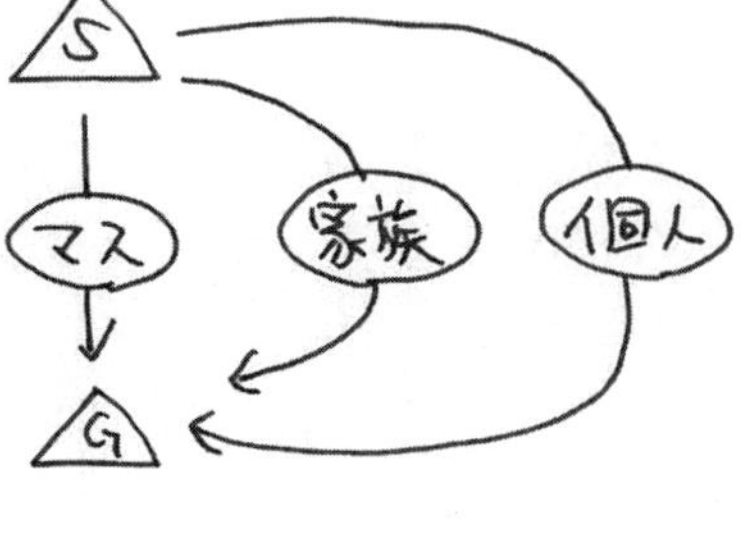

「すきになる」↓あなたが、このコンセプトを**好きになれない。**
「かわる」↓現状と何も**変わっていないように思える**けど、どうだろう？
「わかる」↓このコンセプトは、たしかに**理解することはできる**かも？
「できる」↓でも、無限のお金や時間、無数の社員がいなきゃ**不可能だ！**

でき上がったコンセプトが未完成である場合、この**４つのフィルターのどこかに引っかかってしまうという**わけです。今回の例では、「このコンセプト、好きになれない……」と、「すきになる」のフィルターをクリアできていませんし、「現状と何も**変わっていない？**」「無限のお金や時間、無数の社員がいなきゃ**不可能だ！**」と、「かわる」と「できる」のフィルターも怪しい雰囲気です。

逆に言うと、コンセプトが正解にたどりつけている場合、そのコンセプトを皆が**好きになれる**し、そのコンセプトで**世界を変えることができると思える**し、皆が**納得でき、実現も可能だと思える**形になっているということです。このどれかが欠けているコンセプトが生み出されている場合、そのコンセプトワークは失敗に終わってしまったと判断することができます。

でき上がったコンセプトがどうも正解ではないらしいと思われる場合は、このものづくりの４つの原理のフィルターにかけることで、失敗作であることを明確にし、キッパリとコンセプトワークの失敗を認め、271ページから書かれているコンセプトワークの失敗を乗り越える方法（「問題のあなた化」）へと進み、コンセプトワークをリカバリーしましょう。

この4つのフィルターにかける段階で、特に注意が必要なのは、「できる」のフィルターです。コンセプトワークに入り込んでしまっている状態では、極めて難しいテーマであっても「このコンセプトは実現できる！　いや、何とか実現すべきだ！」と誤ったGOを出してしまうことがあるためです。

コンセプトワークの過程で参加者は、「自分は何をしたいか？」という個々人の欲求や夢や希望を、現状への不平不満やいらだちとつながった形の発言として発しているため、だんだんと、「僕たちは、ただ会社のために商品企画をしているのではなく、世界のためにコンセプトワークをやっているのだ！」という高揚感が生まれてきます。それが仇になって、冷静さを欠いてしまうわけです。

ですから、コンセプトワークを導くあなたは、コンセプトの実現可能性に対して疑問が残るコンセプトが出てきてしまったときは特に、「今回のコンセプトワークは失敗した」と潔く、冷静に判断を下すことが求められます。

ものづくりの4つのフィルターにかけ、コンセプトワークが失敗に終わったことを確認した場合、主催者であるあなたは、いったんその日のコンセプトワークを閉会します。

ただし、メンバーには「今回のコンセプトワークは失敗した」とは言い放たず、「問題が明らかになった。ありがとう」という気持ちを伝えてその場を締めてください。仲間には、リベンジマッチのための英気を養ってもらわなくてはいけませんからね。


では、コンセプトワークが失敗したことがわかった後に、リーダーであるあなたは何ができるでしょうか？

あなたはテーブルに出された付箋群を持ち帰り、いったんあなた1人だけで考える時間を設けます。そして、これから説明する **〝問題の「あなた化」〟** というテクニックを使って、コンセプトワークを再検討してみるのです。

世界を5階層に分ける

あなたは1人になり、改めて「マス」と「個人」の2つのルートについて考えてみます。

これら2つのルートを採用できない理由は、次のようなものでした。
・「マス」に訴えかけるには、膨大な宣伝広告費が必要

・「個人」に訴えかけるには、膨大な開発費が必要

当然ですが、これらのルートを採用するにはお金が足りません。仮に十二分な予算を確保できたとしても、それを実行する人的リソースが足りないとか、実行する時間が足りないとか、結局はリソース（人、お金、時間など）の不足という点に落ちつきます。つまり、リソース不足は、解決できないほどに難易度の高い問題だということがわかります。

一方で「家族」というルートは、コンセプトワークの参加メンバーからは「解決できる問題」と認識されていました。ポイントとなるのは**「問題の難易度」**です。

ここでは、難易度を見極めるためのフィルターとして、**「世界の5階層」**という視点を導入します。その5つとは、**〈法則〉〈過去〉〈社会の仕組み〉〈他人〉〈あなた〉**――以上の5つです。

私たちの身の回りには、解ける問題と解けない問題が存在します。つまり、変えられるものと、変えられないものの二種類があるのです。まずは、最も変えにくいもの、絶対に変えられないと考えられるものを見ていきましょう。たとえば、こんな類のコンセプト・ビジョンは叶えられそうにありません。

・万有引力の法則に逆らいたい！（＝自力で空を飛びたい！）
・三次元空間の異なる2点をつなげたい！（＝ワープしたい！）

空を飛びたい、ワープしたい……気持ちは痛いほど分かるのですが、それを現実に行うのはどうやら難しそうです。宇宙の物理法則を書き換えない限り100％解けない問題ですし、私たちの意思では変えられそうもありませんよね。

今回のコンセプトワークの例では、幸いにも物理法則に対抗するようなビジョン・コンセプトは現れませんでしたが、例えば携帯ゲーム機の設計では、「今すぐどこまでも軽くしたい」、「今すぐ充電池の容量を激的に増やしたい」という2つのビジョンが同時に出てくるという事例がよくあります。

この願いは一見すると非常にシンプルです。何らおかしいところはないように思えますが、実は矛盾があります。

充電器は容量を増やせば増やすほどに重くなりますから、そもそも「軽くしながら、充電池の容量を増やす」という願い自体が実現不可能なのです。

容量をいくら増やしても重くならない、画期的で宇宙の法則に逆らうような充電器が発明されない限り、このような願いが叶えられることはないでしょう。

物理法則を超える技術を開発している研究所や個人でない場合は、これらの問題に真正面からぶつかっていくのは、よほどの資金力や運がないと実現できるものではありません。ですから、他の問題と向き合ったほうが良さそうだと判断できます。

そこで、こういった最も解けない問題を**「法則を変えること」**として捉えましょう。

「別にそんなこと改めて言われなくてもわかってるよ！」と感じられるかもしれませんが、実はそう一蹴できる話でもないのです。たとえば宝くじは、確率という法則に支配されています。宝くじを5億円買っても5億円が当たる確率は極めて低いのに、当たることを夢見て買ってしまうのが人の性というものです。宝くじが当たる確率は極めて低いのに、射幸心をあおられてしまった結果、意識的にその確率を無視したり、ややもすれば「俺だけは特別なんじゃないか？」なんていうふうにねじ曲げて認識してしまいます。

これはまさしく「法則を変える」という解決不可能な問題に取り組んでしまっている私たちの姿です。

さて、次に手出しできないものは何でしょうか？　現在という時間に生きる私たちが、覆すことができないものです。

・あの学生時代の忌まわしい失敗を、消し去りたい！
・東大に入る頭の良さを、今すぐ手に入れたい！
・通帳に100億円入ってないかなぁ……

タイムマシンはありませんし、勉強には長い時間の蓄積が必要です。学歴はすでに定まっている過去のものですし、お金だって過去の働きの積み重ねですね。つまり、過去は変えられませんから、これらの問題も解けません。本書のコンセプトワークの例では、たとえば『資本力の戦い』といった付箋が、過去の問題と密接につながっています。「時間をすっ飛ばして、いきなり資金を手に入れたい！」と叫んだところで、資金を貯めずに過ごしてきた過去を変えることはできませんよね。

仮にこの付箋を中心にコンセプトワークを進めていけば、自然と「最高の予算で最高の機械を作ろう」といった類のコンセプトが生まれるでしょうが、そもそもこの戦略は、世界一お金を持っている会社以外勝てない方法です。お金がよその会社よりないという過去を変えようとした段階で、勝敗はすでに目に見えているでしょう。

それでも無理矢理に突っ込んでいこうとすれば、それこそ「会社の全財産を突っ込む！失敗したら玉砕だ、みんな一緒に死のう！」なんて精神論で押し切るしかない悲惨な状況に陥ってしまいかねません。

「過去を変える」という問題は**「法則を変える」**に次いで難易度の高い問題だといえるでしょう。

「法則」「過去」ときて、次に難しい問題は何でしょう？　次の2つからイメージしてみてください。

・税金、安くならないかなぁ……
・おらが村に新幹線を！

わかりましたか？　**「社会の仕組み自体や法律」**を変えようとするビジョンですね。今回のコンセプトワークの例でいうと、『怖いゲーム』『暴力ゲーム』『血が出る』といった付箋が関係しています。

ゲーム業界には「レーティング」というシステムがあり、暴力性の高いゲームなどは一定年齢以上でなければ遊べないといった取り決めが存在します。この取り決めは業界の自主規制にとどまる場合もありますが、法律や条例とつながって販売制限などを課されてしまう場合もありますから、社会の仕組みにつながるテーマだと言えるでしょう。

社会の仕組みや法律を無視して、もしこの付箋を中心にコンセプトワークを進めていき「性表現や暴力表現を含む、あらゆるゲームの表現が自由になる真の文化的ゲーム機」といったようなコンセプトにたどりついた……といった場合、規制上の問題から実現は極めて難しいと言わざるを得ません。

日常生活において憲法・法律・条例のような決まりを超えて活動することは不可能ですが、憲法改正の国民投票や、政党・代議士への投票によって間接的に仕組みを変えることも不可能ではありませんから、実現不可能ではありません。そう考えると、「社会の仕組みを変える」という問題は、まだまだ難易度は高いですが、少しずつ変えやすいテーマに近づいていることもわかります。

ただし、時間と資金に制約がある以上、真正面から取り組むには、まだまだ効率が悪い問題ですね。

「法則を変える」「過去を変える」「社会の仕組みを変える」と、徐々に変えやすい方向に進んできましたが、まだ変えにくいものが存在します。何となく、変えることに手をこまねいてしまうような存在です。

・ダメな男ばかりに惚れ込んでしまうあの子の性格を直したい！
・うちのオヤジに禁煙させたい！

そう、**「他人を変える」**ことは難しいですよね。

今回のコンセプトワークの例でいえば、『奥さんゲーム嫌い』『ゲーマーはグラフィック好き』『ゲーム脳って言うな』等、無数の付箋の中で他人に関する問題が提起されていましたし、メンバーをおおいに悩ませていました。

「他人を変えること」は、法則や過去や社会の仕組みを変えるよりは簡単かもしれませんし、実現性は高いです。しかし「他人を変える」ことには、まだまだ苦労が伴います。この「他人」という表現の中には、「業界」や「他社」という概念も含まれているからです。「業界が悪い」「他社が強すぎる」と嘆くことは簡単ですが、実際に業界や他社を変えることは極めて難しいということは、想像に難くありませんよね。

問題を「あなた化」する

さて、ここまでさまざまな問題の例を挙げてきました。**「法則を変える」「過去を変える」「社会の仕組みを変える」「他人（業界・他社）を変える」**と、少しずつ問題の難易度は下がってきていますが、まだ解けるという確証には至りません。

しかし実は、これらの問題を一気に解く方法があるのです。

それが、**問題を「あなた化」する**という方法です。

問題の「あなた化」とは、たとえば「空を飛びたい！（万有引力の法則に逆らいたい！）」という問題を解こうとしているときに、次のように問題を分解するところから始まります。

〈万有引力の法則に逆らって、空を飛びたい！〉と思った場合

分解1 ↓ どうして自分は空を飛びたいと思うんだろう？
分解2 ↓ 空を飛んで爽快な気分になりたいから
分解3 ↓ 空は飛べない。では、空を飛んだ気分になれる他の方法はないだろうか？

【解決の糸口の発見】↓浮いているような体験ができる施設はないだろうか？

万有引力の法則を超越したいと思う先にある本当の理由（この場合は、爽快な気分になりたいという気持ち）を見つければ、「法則を変える」という難易度の高い問題を「あなたを変える」という難易度の低い問題へと変換できるんですね。

ここでは、空を飛ぶのは無理だとしても、「空を飛ぶような体験をすれば『あなた』は満足できるのでは？」というふうに「あなた側の視点」を変えてみることで問題解決の糸口を見出しました。

この方法を用いて、改めてコンセプトワークの実際の例における問題を分析してみましょう。

まずは **「マス」のルートを「あなた化」** してみます。

〈広告をたくさん打って、ゲーム人口を拡大したい！〉という、どうも実現が難しそうな答えがコンセプトワークの結果として出ている場合は、たとえば次のように分解して考えていきます。

分解1↓どうして私たちは広告をたくさん打ちたいのか？

分解2　↓　広告を打つのは、多くの人たちに知ってもらいたいから
分解3　↓　広告を打つのは難しい。では、広告以外に商品を多くの人に知ってもらう方法はないか？　私たちは、広告に接する以外のどんな場面でゲームの存在を知るだろう？

【解決の糸口の発見】　↓　友達がゲームを遊んでいると、「わたし」もそのゲームで遊びたくなるよなぁ……じゃあ、ゲームを遊んでいる姿を見る頻度を上げるには、どうすれば良いのか考えることが、解決の糸口となるのでは？

ここまで考えを推し進めることができれば、失敗したコンセプトワークの参加メンバーへ次のように提案することができるでしょう。

「マスのルートを実現したいけれど、CMはコストが高い。一方で、たとえば友人や知人がゲームで遊んでいる姿を見ると自分も遊びたくなることもある。そこで、次回のコンセプトワークのテーマは『CMではなく、普段の生活の中でゲームを遊びたくなる現象を引き起こすようなゲーム機とは？』としてみたらどうだろうか？」

次に、**「個人」ルートの場合も「あなた化」**してみましょう。

〈高品質で多様なゲームで、ゲーム人口を拡大したい！〉という、どうも実現が難しそうな答えがコンセプトワークの結果として出ている場合は、たとえば次のように分解して考えていきます。

分解1 ↓ 私たちはなぜ、高品質なゲームを大量にリリースしたいのか？
分解2 ↓ 多種多様な趣味嗜好を持つ数多くのユーザーに興味を持ってほしいから
分解3 ↓ 高品質なゲームを大量にリリースするのは難しい。では、高品質で自分好みなゲームソフトに出会うこと以外に、「わたし」がゲームソフトに興味を持つのはどんなときだろうか？

【解決の糸口の発見】↓ 友達に勧められると、画面がショボくても関係なく興味を持つよなぁ……。じゃあ、ゲームを人に勧めるという現象をたくさん起こすには、どうすれば良いかを考えることが、解決の糸口になるのでは？

ここまで考えを推し進めることができれば、失敗したコンセプトワークの参加メンバーへ次のように提案することができるでしょう。

「個人のルートを実現したいけれど、高品質で多様なゲームを作って個人個人の興味にピッタリ合う商品を揃えるのは大変。たとえば、もともと興味がないテーマのゲームであっても、知人に勧められたゲームには興味をそそられることもある。そこで、次回のコンセプトワークのテーマは『ゲームを人に勧めやすいゲーム機とは？』としてみたらどうだろうか？」

このように、問題を一度**「法則」「過去」「社会の仕組み」「他人」**から**「あなた」**へと引きつける**「あなた化」**を行うことで、問題の難易度自体をグッと下げることができ、ひいては世界に無数に存在している問題を解く手がかりを得ることができるわけです。

このように考えを推し進めることができたら、2回目のコンセプトワークの招集をかけましょう。そして、このテーマについてコンセプトワークの続きを再開すればいいのです。こうすることで、今はまだ出ていない付箋やグループが生まれ、さらにはまだ見えていない軸や矢印が見えるようになってくるでしょう。

もしコンセプトワークが失敗したとしても、そのコンセプトワーク自体は、決して無駄になるわけではありません。解決不可能に見える問題の中に光を見つける「あなた化」のための準備期間だったと思えば、すべてが真のコンセプトにつながっていくのです。

本節では、コンセプトワークが失敗したときの対応策として、問題の難易度を細分化することによって問題を「あなた化」することについて解説しました。

ここで、最後に1つだけ注意してほしいことがあります。それは、あなたが1人で行った「問題のあなた化」はあくまでも問題の再設定であって、**問題を解いたわけではない**し、解くことを期待されてすらいないということです。

問題を解く（＝コンセプトを生み出す）という作業は、**コンセプトワークという共同作業の中でのみ行われるべきもの**であると考えましょう。あなたの役割は、ひたすら問題を「あなた化」しながら問題を新しい形に捉え直し、難しい問題に縛られてしまっている参加メンバーの気持ちを、改めて自由に解放させてあげることです。

あなたはコンセプトワークのリーダー、冒険を率いる勇者ですから、失敗を自ら抱え込んでしまいたいと望むかもしれません。しかしあなたの役割は、あくまでも仲間を率いることです。あなた1人で問題を解こうとするのなら、そもそも仲間は必要ありません。

失敗を取り返すための勇者の孤独な試練は、失敗を見つめ直し、問題を「あなた化」し、真の敵を見い出すだけでは終わりません。真の敵を倒すべく、仲間と共に再び歩き出したそのときに初めて試練は終わり、勇者は勇者たり得るのです。

目の前の問題を丁寧に「あなた化」すれば、おのずと道は拓きます。心機一転して臨む次のコンセプトワークでは、未知の良さが、きっと勇者に微笑みかけてくれるでしょう。

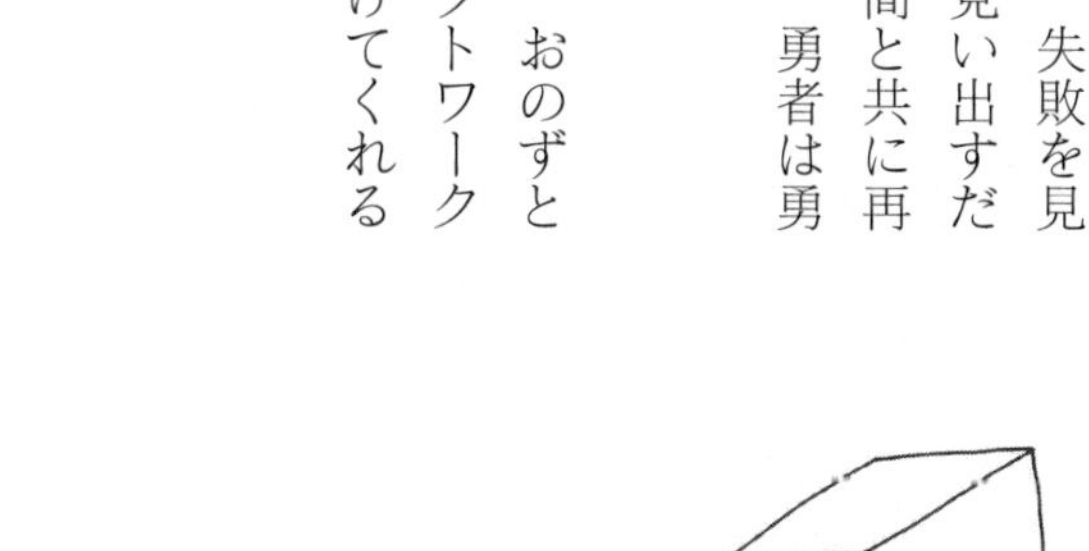
だんだん
やさしく
なってきた!
他人
社会の
仕組み
過去
法則

第3部

すすんでいく

コンセプトをどう活用するか

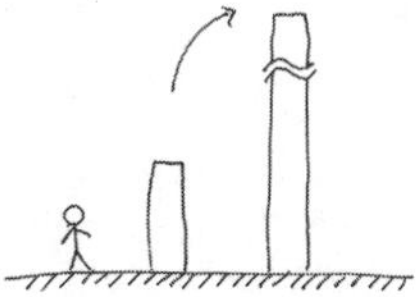

14 願いを込めて：コンセプトから仕様へ

コンセプトワークに成功すると、前述の通り、次はそのコンセプトを他の関係者が理解できるよう説明してまわるプレゼンテーションという作業があり、その後には実際に、そのコンセプトを土台としてものづくりを行うプロジェクトという行程に進みます。

この段階までくると、ものづくりもいよいよ具体的な仕事になってきます。ものづくりのゴールはあくまでも、「良いものを作る」ことであって、「良いことを考える」ことではありません。

本節は、コンセプトが最も効力を発する主戦場であるプロジェクトの段階にきたときに、コンセプトをいかに利用し、運用するかについて考えていきたいと思います。

◈

本書はコンセプトワークについての本であるため、プロジェクトの部分を深く掘り下げていくことはしませんが、生み出されたコンセプトがプロジェクトの段階でどう活きるのかについて、Ｗｉｉの実際の例で見てみましょう。

以下の質問について、イメージしてみてください。

1．なぜＷｉｉは「Ｗｉｉ」という名前なのだろう？
2．なぜＷｉｉリモコン（Ｗｉｉのコントローラー）は「リモコン」なのだろう？
3．なぜＷｉｉは、本体がコンパクトなのか？

これらはすべて、その仕様がなぜその仕様になっているのかを質問しているものです。

任天堂が公式に述べている答えは次の通りです。

1．なぜＷｉｉは「Ｗｉｉ」という名前なのか？

「ゲーム人口の拡大」というコンセプトのもと、家族みんなに楽しんでほしいという願いから、「私たち」を意味する英語「Ｗｅ」をイメージして命名した。

また「ｉｉ」は、Ｗｉｉリモコンの形状（リモコン型のコントローラー）のイメージを体現するのと同時に、人が複数並んでいる「家族のイメージ」から。

2．Ｗｉｉリモコンは、なぜ「コントローラー」ではなく「リモコン」なのか？

「ゲーム人口の拡大」というコンセプトのもと、家族全員に触れてほしいという願いから、まるでテレビのリモコンのように、家族の誰しもが気軽に使える身近なものを目指すため。

だって、家ではテレビのリモコンというのは、たいてい手の届く位置にふつうに転がっていて、みんながふつうに手にとって操作するじゃないですか。それと同じように扱ってほしくて、しかも最終的に形状までそれに近くなったんですから、これは「リモコンと呼ばれるべきだ」って強く思ってたんですよね。

「なぜテレビのリモコンは家族みんなが触るのにゲーム機のコントローラは触らないのか」というのは、Ｗｉｉを開発するうえでの大事なコンセプトでしたから。だから「絶対、これはリモコンです！」と言い張りました。（岩田社長の発言より　http://www.nintendo.co.jp/wii/topics/interview/vol2/02.html より引用）

3．なぜＷｉｉは、本体がコンパクトなのか？

ゲーム人口の拡大というコンセプトの下、家族みんなに楽しんでもらうべく、リビングルームに設置してもらいたい。その際、リビングルームのテレビ周辺はスペースが狭く、かつ派手なものを置くと目立ってしまう。家族の誰からも嫌われないデザインを目指すため、本体をコンパクトにした。（http://www.nintendo.co.jp/wii/topics/interview/vol1/02.html より引用）

いずれの例を見ても、「ゲーム人口の拡大」という会社のコンセプトがスタート地点になっていることがわかります。その後「家族」「嫌われない」「テレビ」といったキーワードが続いていき、それらが理由となって他のさまざまな仕様も定められるんです。

Ｗｉｉが発売され、その価値観が広く知られるようになっている今となってみれば、これらの判断は極めて当たり前で、むしろ保守的な思考のように思えなくもありません。

しかし、想像してみてください。それまでのどんなゲーム機の名前と似ても似つかない不思議な響きの名前「Ｗｉｉ」を採用するときの底知れない不安を。Ｗｉｉリモコンという新名称によって、これまでゲーム機が市場に現れてから延々と続いてきた「コントローラー」という操作部の呼称を捨てる恐ろしさを。リビングの中に溶け込もうとするがゆえに、その存在感すら消え入りそうな本体を想像するときの、心細さを。

どんなに立派なコンセプトだろうと、ユーザーに「ゲーム人口の拡大！」とコンセプトを叫んだところで、誰も見向きはしてくれないでしょう。

ユーザーはひたすら「良いもの」のみを求めていますし、何しろ対価を払っているのですから、売る側からのお願いを聞く義理すらないのです。

ものづくりの側の人間は、世界を良くする方法を実現したい、コンセプト通りに世界を変えたい、ユーザーに影響を与えたいと望んでいます。しかし、ユーザーにメッセージを伝えたいけれど、コンセプトそのものを声高に叫ぶことで伝えることはできません。

となると、ユーザーにこちら側のメッセージを伝えるには、**仕様にコンセプトと想いのすべてを乗せることしか方法はない**のです。

よく「商品を差別化するデザイン」「人と違うものを作る」といった表現がされますが、私はこれらの表現が一種の危険を含んでいると感じています。

デザインで差別化するのではなく、未知の良さを身にまとったコンセプトから生まれたデザインだからこそ、**必然的に差別化できている**……という状況が正しいはずです。

「人と違うものを意図的に作りにいく」のではなく、「まだ誰もその良さを知らないコンセプトを考えた結果として、人と違う商品やサービスができる」というのが**本来のものづくりの姿**であるはずです。

ましてや、コンセプトにもとづかない単なる差別化だけでは、世界を良くできるかどうかという重要な命題をほったらかしてしまっていますよね。

つまり、「商品を差別化するデザイン」「人と違うものを作る」といった表現からは、コンセプトの不在しか感じ取れないのです。
ものを売るために差別化が有効であることについて、異論はありません。しかし、「売るための差別化」が、世界を良くしたり私たちをしあわせにすることが、本当にあるのでしょうか。「差別化しているから、良い商品ですよ」なんていう考え方は、ユーザーや私たちの心の根っこのところまでを変えることはできるでしょうか？

本当に大切なのは、「世界を良くする」というコンセプトのコンセプトです。**未知の良さを発見し、新しい大地を切り開くことこそが、私たちの使命**です。そして、ものづくりという冒険において未知の良さを求めたからこそ、結果として差別化されたデザインになった……という順番こそがふさわしいはずです。

ユーザーが商品やサービスを手に取りさまざまな仕様に触れたときに、「私たちは、こういう商品やサービス

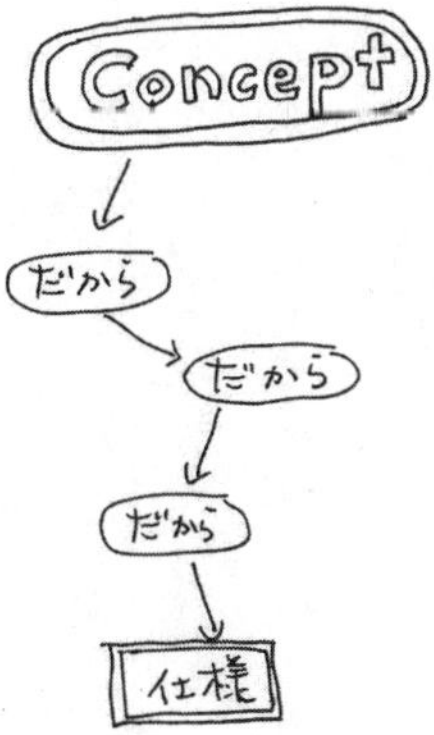

こそが世界を良くすると考えています」という開発者の声なき声が聞こえてくるようなもの——。それはきっと、「コンセプトに根ざしたものづくりの結果、生み出された商品やサービスであるに違いないと私は思います。

逆に言えば、あらゆる仕様検討の場面で、コンセプトにもとづいた仕様を選び取ることができれば、きっとコンセプトはユーザーに伝わります。

ユーザーがはじめて商品やサービスを手に取ったとき、その商品やサービスはまるでコンセプトワークをした後のテーブルのように、さまざまなパーツが乱雑に並んでいるかのように目に映っているはずです。しかし、その商品やサービスに何度も触れ、体験し、理解していくにつれて、ユーザーは心の中でその商品やサービスのコンセプトを徐々に感じ始める……そんなイメージです。

コンセプトワークをするにあたっては、**自分たちが相手にするユーザーは、商品やサービスの中からコンセプトの存在・不在をかぎわける天才的な才能の持ち主であると考えてみましょう。**コンセプトに紐づいた仕様を貫けば、裏に隠されたコンセプトをユーザーはきっと読み解いてくれると信じて良いとすら言えます。

私たちがたどったコンセプトワークとは逆のプロセスを、今度はユーザー側がたどっていき、彼らは無数の仕様から、コンセプトを言い当てるんです。

ただし、私たちとユーザーとの間には異なっている点が1つだけあります。私たちは多くの不安と戦いながら精一杯の持てる知恵を振り絞ってコンセプトワークをしましたが、ユーザーは一切の不安もなく、そして雑作もなく、コンセプトを見つけ出すということです。ユーザーはコンセプトをうまく言葉にできないこともあるかもしれませんが、少なくとも**「そこにコンセプトはあるか？」ということだけは誰しもが瞬時に読み解き、その商品やサービスを好いたり嫌ったりします。**今この文章を読んでいるあなたにも、そういった身覚えはないでしょうか？

ある商品やサービスを手にした瞬間に「この商品やサービスには、一本筋の通った思想のようなものが感じられない！」とか「この商品やサービスは、何か心を揺さぶるものがある！」というふうに感じた経験が、きっとあるはずです。そのときあなたの心の中では、商品やサービスからコンセプトを読み取ろうとする無意識の反応が起こっています。

「良いもの」によるあなたと世界とのキャッチボールは、言い換えれば「世界を良くする」という共通の志を持つ誰かとのコミュニケーションに他なりません。その誰かとは、言うまでもなく、世界に生きている無数のユーザーです。「世界を良くする」という想いは、あなたから見れば世界側に立っているユーザーも共通して持っている想いです。商品やサービスがコンセプトを持っているということは、そんな人たちに届いてほしいんだという宣言として、ユーザーの心に響きます。

散りばめられた無数の仕様の中にたった1つのコンセプトを込めた「良いもの」こそが、ユーザーの心の中へと真っ直ぐに飛び込んでいくのです。

コンセプトから紡ぎ出される無数のタペストリー。それこそが、商品やサービスの仕様となるべきものの形なのです。

15　そして勇者は……コンセプトの宿命

最後のお話になります。

それは、少しだけ未来の話。コンセプトに則った製品やサービスを、世にリリースできた後のエピソードです。

「何かを生み出すのと同じくらい、でき上がった後のフォローが大切だ」と、よく言われます。その考えには私も同意なのですが、コンセプトという切り口で考えると、1つ象徴的な問題が起こってしまうのです。

それは、コンセプトをどれだけ綿密に作っても避けることのできない、ある1つの問題……これを知っているのと知らないのとでは、コンセプトワークの進め方自体がそもそも大きく変わってしまうほどの大きな問題です。

この点について、私の経験をもとにお話ししていこうと思います。

Ｗｉｉが発売された後の、ある日。私はニュースを見て、老人ホームでＷｉｉがブームになっているということを知りました。ご年配の方たちが楽しそうにＷｉｉ Ｓｐｏｒｔｓをプレイして遊んでくれている。アルツハイマーなどの病を患われている方もいる中で、ご夫婦が協力したりヘルパーさんの助けを借りたりして、ゲームを楽しまれていました。

その光景は、Ｗｉｉのコンセプトが目指していたこと以上のものでした。

私はその光景を目の当たりにしたとき、かつてないほどの感激を覚えていました。

それはＷｉｉを世界に生み出すというものづくりに参加できたことに対する喜びであり、Ｗｉｉによって世界が変わったこと、そして私自身がしあわせになれたことに対する心からの感動でした。

しかし、そこに落とし穴があったのです。私は涙を流しながらも、目の前で起こっている光景が想像を超えていることに気づくべきでした。

想像を超える――。実は、これが問題なのです。

「別にそんなの問題じゃないよ、喜べば良いじゃない。素直じゃないなぁ！」と、思われるかもしれませんが、やはり大問題なのです。

ユーザーは、熱狂・絶賛から批判・全否定まで、作り手の想像を超えるレスポンスを返してくれます。それはＷｉｉのみならず、他のどんな製品であってもそうでした。思いもよらぬ楽しみ方を編み出したり、全く想像もしなかった失敗をしていたりと、ユーザーの行動は無限と思えるほどに広がっていきます。

当時の同僚や上司などに話を聞いてみても、全員が同じ答えでした。

「ユーザーは、必ず作り手の想像を超える」

それは決して、想像を超えて売れたという短絡的な意味ではありません。ユーザーは、作り手が想像していなかったことを〝行う〟のです。

Ｗｉｉにおいても、コントローラーを改造して新しい遊びを作るユーザーや、老人ホームの例など、私が想像もしていなかったことが、たくさん起こりました。

そして、問題になるのはここからです。**作り手は、想像を超えたユーザーの反応を、いかに受け取るべきか？**　という問題です。

「未知の良さ」をコンセプトに掲げて生み出された製品やサービスは、思いがけずユーザーに何らかの新しい影響を与えます。作り手が「こんな楽しみ方をしてほしいな」と想像していたことを簡単に超えてくるユーザーの反応を見ると、ついつい作り手として悦に入ってしまったり、「なぜコンセプトワークの段階でイメージできていなかったんだろう？　くやしいなぁ」などと、落ち込んでしまったりします。笑ったり泣いたり、へコんだりニヤついたり……なんて具合に、心も顔もコロコロと変わってしまうことでしょう。

興奮して、混乱して、結果的に前後不覚になっているという状態ですね。

新しく生み出したコンセプトが芯を捉えていればいるほど、そのコンセプトは、より「世界を変えるほどの力」を帯びることになります。その反響はあまりにも大きく、コンセプトワーカーを、混乱の最中《さなか》へと誘う力を持っているのです。

一夜にして、世界を変えるほどの力を自分がまとっていることを知らされたコンセプトワーカーは、冷静に世

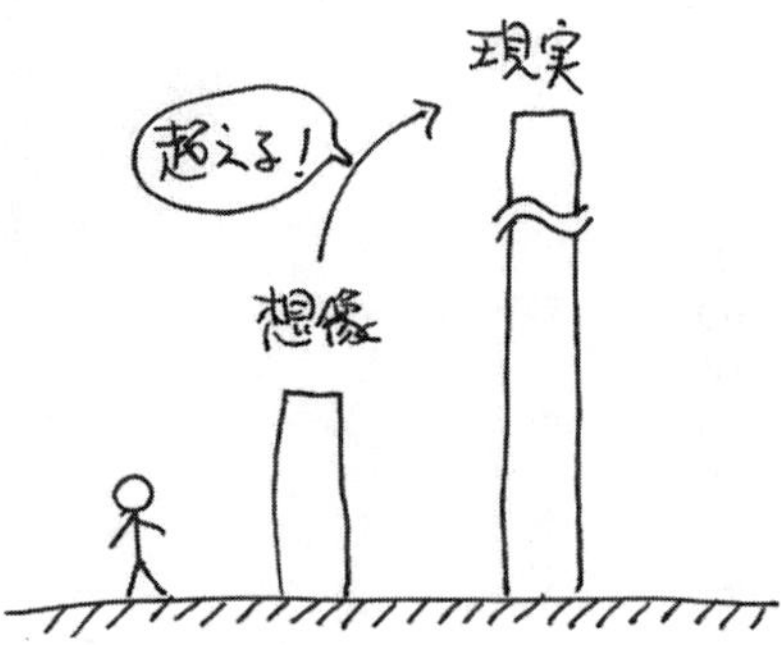

界を観察することができなくなってしまいます。

一方で、商品やサービスが思うようにヒットしなかったときにもこの混乱は起こります。商品についてネガティブな評論がネットで流れたり、一応ヒットはしているが楽しまれ方が想定と異なっていたりということが起きたときも、成功した場合と同様、コンセプトワーカーはすっかり混乱してしまうことでしょう。

こんな混乱の渦の中で明晰な頭脳を保っていくためには、いったいどうすればいいのでしょうか?

冷静さを取り戻すには、何らかの明確な基準を持って、事態を回避するしかなさそうです。

実はそのための方法こそが、すでに、コンセプトの中に隠されているのです。

本書の冒頭で、「あなた」と「世界」はキャッチボールのように循環しているという話をしました。「あなた」が、製品やサービスを「世界」に向けて投入します。それは、あなたから世界への片道切符です。

しかし片道切符のままではいけません。

世界からリアクションを受け取った結果、「あなたがしあわせに生きられること」を確認しなければ、ものづくりを完遂したことにはなりません。

そこで問題になるのが、**「あなたがしあわせに生きられること」をどう定義していたか？**ということです。それはたしかに、コンセプトワークを通して定義していたことでした。それなのに、ものづくりの4ステップを終えてしまった後、あなた自身がコンセプト自体を忘れてしまい、成功や失敗に酔いしれてしまうということが往々にして起こるのです。**コンセプトは、ものづくりが終了した後も持つべきものです。**コンセプトを判断基準として、世界からあなたへ帰ってくるボールに注意を向け続ける必要があるのです。

たとえばＷｉｉの場合であれば、『ゲーム人口の拡大』というコンセプトを掲げている以上、観測すべきは「Ｗｉｉの売り上げ台数」でも「Ｗｉｉによって儲かったこと」でもなく、「Ｗｉｉによってゲーム人口はいかに拡大したか？」という1点だけなのです。

混乱が不安を呼び、不安は既知の良さを頼りたがります。悪魔の甘い誘惑に負けてしまうと、ついつい私たちはコンセプトを忘れ、売り上げ・利益・株価といった既知の良さにばかり目を奪われてしまいます。それらに惑わされてはいけません。

たとえば、全世界でＷｉｉが９５００万台を超える販売台数（※２０１２年3月時点）となり、ゲーム機の歴代売上げ総額を塗り替え、結果として任天堂株の時価総額が2倍以上に跳ね上がり、当時、トヨタに次ぐ日本第2位の位置まで躍進したのは客観的な事実ですが、こういった数字を、喜び勇んで追いかけるのは、コンセプトワーカーとしては問題があるかもしれません。

そもそも、私たちは何のためにコンセプトを考えていたのでしょうか？

それは**「未知の良さ」を実現して、「世界を変えるため」**であったはずです。

ですから、世界を熱狂させたという喜ばしい状況や、あるいはその逆で、世界に受け入れられなかったという残念な状況は、あくまで**副次的なもの**でしかありません。

それらは観察すべき対象ではないのです。

では、コンセプトに則って情報収集をするとは、具体的にどういうことでしょうか？

任天堂のホームページには、任天堂が対外的に発表した情報がまとめられています。その中には「ゲーム人口の拡大」という任天堂が掲げているコンセプトが何度も登場し、そのコンセプトから生み出された成功基準、いわば世界からボールを正しく受けるための指標が何点か提示されています。

たとえば「世帯あたりユーザー数」という指標があります。

営利企業であれば、事業の評価は通常、売上や利益で測るものでしょう。しかし、任天堂はそういったお金ベースの評価とは別に、ゲームを楽しんでいるユーザーの人口増加をベースにした評価を行っています。しかも、ただのプレイ人口ではなく「世帯あたり」のプレイ人口なのです。

この指標が意味するのは、「1台のWiiが売れたとき、設置された世帯内で何人のユーザーが遊んでいるか?」ということです。

なんと、この数値は売上に直接つながっていません。この数値は、Wiiが売れたのがたったの1台であっても、その1台が大家族に設置されてみんなで遊ばれたら、大きくなります。逆に、Wiiが圧倒的に売れたとしても、一人暮らしのユーザーに多く買われた場合、数値は低くなるでしょう。ヘタをすると売れれば売れるほど下がることすらある、営利企業にはあるまじき指標です。

Wiiが叩き出した数字は実際、圧倒的なものでした。Wiiの「世帯あたりプレイ人口」は、2007年時点の日本で3・5——つまり1台のゲーム機で3・5人の家族がゲームを楽しんでいるということです。

2005年時点での日本自体の1世帯あたりの人数（1世帯に平均何人暮らしているかを表す数字）は世帯あたりユーザー数を大きく下回る2.55人ですから、Wiiがいかに家族の中に溶け込めているかを表している数字といえます。

この数字は、旧来のゲーマーのみならず、年齢・性別・ゲーム経験の有無を超えて家族みんなにWiiを楽しんでもらえたことを意味しています。かつてのゲーマー像を180度覆し、**Wiiが世界を変えたことを証明する数字**だと言えるでしょう。

もう1つ、「リビングルーム設置率」という指標もあります。

これはWiiが設置された場所を調査した数字で、なかでも個人の部屋ではなくリビングルームに設置された割合を数値化したものです。営利企業としては、ものが売れてくればどこに置かれても構わないように思えるかもしれませんが、コンセプトが実現できているかを調べるには、どうしてもこの指標が必要なのですね。

さて、実際の「リビングルーム設置率」はどのような値になっているかというと、2007年の時点で83%となっています。

もちろんWiiの説明書に「このゲーム機はリビングルームに設置してください」なんて書いているわけではありません。それなのに、実に8割以上のユーザーが自主的にリビングルームに設置していたんですね。

任天堂は、なぜこういった数値を調査しているのでしょうか？

開発担当だった私はマーケティングについての意思決定はしていませんが、理由は容易に推測できます。

それはきっと、自分たちが必死に作り上げたWｉｉという次世代ゲーム機が、ゲームの遊び方に革命的な変化をもたらしているという確かな手応えを感じたかったからではないか？　と思うんです。自分たちが定めた世界を良くする方法＝コンセプトが、世界に対してたしかに影響を与えているか？　を直接調べることで、私たちはいったん冷静さを取り戻すことができます。売り上げやら株価やらといった数字がめまぐるしく宙を飛び回る混乱した状況から抜け出し、自分たちと世界の間のコミュニケーションが実際に何をもたらしたのかについて想像するには、こういった指標が最も効果的なんですね。

コンセプトは、ものづくりのスタート地点だけにあるものではなく、ものづくりが終わった後も、世界を観察するための指標となるべきです。

生み出したコンセプトが、あなたが想定していた意図の通りに世界を良くしたことが確認できたとき、あなたの冒険の第１幕はやっと幕を閉じることになります。

そして、第１幕が閉じられた瞬間、コンセプトは死を迎えます。もっと言えば、あなたが生み出したコンセプトは、あなた自らの手によって、殺さなければいけないのです。

唐突に「殺す」なんて物騒な言葉を使ってしまいました。ここではアップル社のiPhoneを例にして、コンセプトを殺すということの意味を説明します。たとえば、以下の問題を解かなければいけなくなったという状況をイメージしてみてください。

問題：iPhoneを超える携帯電話を企画しなさい。

なんて難しい問題なんだ！　と思われたかもしれませんが、故・スティーブ・ジョブズ氏は常にこの問題をのど元に突きつけられていたことを考えると、実はそこまでおかしな問題設定ではありません。むしろ、本書の読者の皆さんは、こういった問題こそ解かなければいけないのではないか？　とすら思います。

さて、２０１１年10月5日。56歳の若さで亡くなる直前まで、ジョブズ氏はiPod、MacBookAir、iPhone、iPadと、それこそ鬼気迫るという表現がしっくりくるほどの勢いで、次々と「世界を変える」製品を生み出し、世の中に問いかけ続け、世界を熱狂の渦の中へと巻き込み続けていました。

ジョブズ氏が存命であったなら、今もなお新しい何かについて深く深く考えていたはずです。そして、きっと「iPhone4を超えるスマートフォンを開発することは可能である」と、戸惑う素振りすら見せずに言ってくれたことでしょう。

iPhoneを買った、もしくはiPhoneが流行っている現象を観察しているユーザーとしての私たちですら、「iPhoneを超える携帯電話を企画しなさい」という問題を前にして、そんなことできやしないと臆してしまいます。それなのに、ジョブズ氏は世界中からの数え切れない賞賛と批判とプレッシャーを受けているにもかかわらず、臆せずに「作れる」と言い切ったでしょう。

言い換えれば、私たちはiPhoneのコンセプトを未だに「スゴイもの、完成された完璧なもの」と考えて手を入れられずにいるのに対して、ジョブズ氏は「不十分で変える必要のあるもの、過去のもの」と考えていたといえます。

逆に言えば、もしジョブズ氏が私たちと同じように、過去のiPhoneのコンセプトを「スゴイもの、完成された完璧なもの」と考えていたとしたら、未来のiPhoneはきっとつまらないものになっていくであろうことは、想像に難くありませんよね。

どれだけ成功しようが失敗しようが、**過去のコンセプトを超えていこうとする態度**こそが、コンセプトワーカーには求められています。

コンセプトを殺すという行為は、ここでのジョブズ氏のような態度です。コンセプトワーカーは、過去に自らが生み出したコンセプト＝「未知の良さ」に囚われ留まることなく、常にさらなる未知の良さを探り続ける勇者でなければいけません。

あなたの生み出したコンセプトが成功を収めたとわかったら、ほぼ間違いなく「私は正しかった」という自信や喜び、ひいてはしあわせが生まれるでしょう。しあわせを感じさせてくれたものがコンセプトなのですから、そのコンセプトを手放したくないと思うのはごくごく自然なことです。

しかし別の見方をすると、ユーザーが喜び熱狂し、さらには熱狂の輪が大きくなれば大きくなるほど、**コンセプトによって実現された「未知の良さ」が急速に「既知の良さ」へと変換・消費されている**ということを意味します。

あなたが未知の雲を切り開いた土地も、今でこそ荒涼としていますが、やがてまたびっしりと人家が立ち並ぶことでしょう。

ユーザーが喜んでくれるほど、そこが「未知の良さ」らしい心地よい大地である期間は短くなっていきます。その一方で、商品やサービスをリリースした結果として成功基準を満たさない数字しか出せなかったようであれば、もともとのコンセプトがおかしかったことになりますから、やはり再考しなければなりません。

つまりコンセプトは、その成功・失敗にかかわらず、いずれ意図的に殺さなければならないということです。

そして、第2幕へと、**新たな未知の雲を切り開く道へと旅立たなければなりません。**

勇者は一時の休息を得て、また冒険の舞台へと旅立つことが定めのようです。あなたが切り開いた大地も、いまや急速に「既知の良さ」へと変貌を遂げてしまっています。

売れる商品を作ることができたときは、その時点ではとても喜ばしいことですが、その街に安住していればあっという間に時間は過ぎ去り、やがては没落していくことになります。これは、どんな商品やサービスでも避けられない運命です。そんな中で求められるのは、さらに新しい「未知の良さ」を掲げたコンセプト以外にはありません。

それなのに実際に商品が売れてしまうと、あたかも当然のように、「じゃ、そのコンセプトでもう1個作ろうか」となってしまうのが、ものづくりの現場のリアルなのかもしれません。しかし、コンセプトを作る勇者であるあなたにとって、それは断固として拒否しなければならないことです。

コンセプトは、すべての仕様と結びつけるほどにユーザーに早く理解され、そうであるがゆえにあっという間に陳腐化して無意味なもの、すなわち「既知の良さ」へと変換されていきます。いずれにせよコンセプトは、生まれながらに死にゆく運命にあるのです。

さて、本書もいよいよ終わりを迎えます。ここまで読み進めてきたあなたは、今すぐにでもコンセプトワークを始めたいと思っているかもしれませんね。ワクワクした気持ちはコンセプトにも現れてきます。あなたの心が、コンセプトにも映し出されるのです。もしコンセプトを作り出すことができたら、最後に1つだけチェックしてみてください。

「このコンセプトは、果たして成功基準になるだろうか？」と。

商品やサービスを生み出した後に、そのコンセプトが良いものだったと証明するための成功基準として、コンセプト自身を用いることができるかどうかを胸に問いただしてほしいんです。Ｗｉｉの場合、それは「家庭内プレイ人口」や「リビングルーム設置率」という指標でした。それはきっと、「良いもの」を世界に問うた後に生じた嵐から、あなたの身を守ってくれるでしょう。たとえそれが直接利益に結びついていない指標だとしても、コンセプトは世界に通じたか？　を把握することは、あなたが次に未知の雲に挑むときに役立つ経験となるはずです。

もし仮に「とにかく売れて、会社が儲かってくれるならどんなコンセプトでも構わない」と心の隅で感じるようなら、そのコンセプトから生まれる商品やサービスは失敗に終わるでしょう。そうではなく、**「このコンセプトが実現された世界は、きっと今の世界よりもより良いものになるし、私も仲間もしあわせになれるはずだ。だから、このコンセプトを掲げたい！」**と思えるなら、そのコンセプトから生まれる商品やサービスは、成功に近づいているといえます。

たった1つのコンセプトだけを信じて、あなたと世界の間でコミュニケーションを行うと固く決意してほしいと、私は心から願っています。

しかし残酷なことに、それほどまでにコンセプトを信じ切ったうえでなお、コンセプトの死を看取《みと》る勇気もまた私たちには求められます。未知の雲を晴らして勝ち得た喝采にあふれる大地は、もはやあなたがいるべき場所ではありません。切り開いた地平線の向こうには、新たな未知の雲が、もくもくと湧き起こっているのです。

たとえばジョブズ氏は、大学の卒業生向けスピーチで「Stay Hungry, Stay Foolish.（いつまでも貪欲であれ、いつまでも馬鹿であれ）」という言葉を卒業生に贈りました。

彼が愛した「Whole Earth Catalog（全地球カタログ）」という雑誌の裏表紙に、透き通るほどに晴れ渡った早朝の田舎道の写真と共にあしらわれた言葉です。田舎道の風景についてジョブズ氏は、「冒険心のある人なら、ヒッチハイクで出会えそうな風景」と表現しています。

この風景と言葉は、コンセプトワーカーにこそふさわしいと感じます。今あなたのいる場所は雲一つなく晴れ上がっているからこそ、未知の雲を目指さなければなりません。世界を良くするために歩き続けるのが、コンセプトワーカーの宿命だからです。

さあ、真の冒険の旅が始まります――。

次は、あなたが勇者になる番です。

あとがき

ここまで読んでいただき、ありがとうございました。また、もしかして、目次や「はじめに」を読んだ直後にこちらまで飛んできてくださった方がいらしたら、そちらの方もありがとうございます。

そんなふうに本書から何かを読み取ろう、得ようとしてくださったこと、本当にうれしいです。本書を手に取った直後にここを読まれた方は……もしかしたら、本書の「かわる」という内容について、すでに身につけられているかもしれませんね。

本書の締めくくりとして、私個人のプライベートな話を少しだけさせてください。

コンセプトを作るという作業は、世界一の美女に告白するのと似ていると私は感じています。自分なんかとつき合ってもらえるなんて万に1つもないかもしれない。けれど、おつき合いしたい。不安だけど、伝えたいとも思う。世界一の美女であるあの子と、何の変哲もない自分がつき合うことが、客観的に正しいこと・妥当なことだとは思えないけれど、ただ伝えたいし、実現したいと心の奥の自分が叫んでいる。こういった感情は、「自分が生み出したコンセプトが世界を良くすることができるかどうか」に思いを馳せることによく似ていると思います。

私にとって、そんな愛の告白の相手は、祖母でした。

祖母にゲームを楽しんでもらえることが、私がしあわせに生きていくことに直結した問題だったんです。より厳密にいえば、『ゲーム人口の拡大』という任天堂のコンセプトは、私が抱えていたコンプレックスと直接つながっていました。

小さい頃から世話をかけて、内弁慶な私を許し、夜遅くまで宿題につき合ってくれ、まるで「心配事なんてないんだよ」とでもいうふうに優しく微笑み続けてくれた祖母に、私の仕事を通して恩返しがしたかったのです。

苦労して進学させてくれたのに、祖母が望む公務員や銀行員にもならず、ゲームなんていう浮ついたものを作っている私。私自身は、ゲームが浮ついたものとは決して考えていませんでしたが、客観的に世の中の目として見てみると、公務員や銀行に勤めて安心させられなかったことは、大きな禍根として、私の心の中にコンプレックスという大きな楔《くさび》となって打ちつけられていました。

最近のゲーム観とは異なって、その当時のゲームといえば今よりさらに、映画や音楽や文学とは程遠く社会的には認められていないものでしたから、その楔はゲームを叩く風潮に触れるたびに、じんじんと私の胸を締めつけていました。

だからこそ、私はヒット商品を作って、会社に貢献したいと思いました。

祖母を含め、年齢・性別・ゲーム経験の有無にかかわらず、誰にでも楽しめる、ゲーム人口を拡大するようなものを作りたい。心の底から、そう願っていました。

「世界を良くする」というコンセプトのコンセプトは、ものづくりの4ステップにおける「生きるあなた」がいつも求めている「しあわせに生きること」を実現するための手段です。

コンセプトの奥底には、誰にも踏み込めない〝あなただけのプライベートな空間〟がなければいけません。

あなたが幸せに生きることと、コンセプトを実行することが、重なり合っていることこそが、ものづくりという不安の中を歩き続ける足元を照らす心強い灯火《ともしび》となってくれます。

コンセプトワークの最初に、「生きるあなた」の悪口やビジョンを素直に吐き出すところから始めるのは、あなたとコンセプトが重なり合うプライベートな場所を作るためだといえます。

あなたから表明された悪口やビジョンが組み合わされ並べ替えられ、自然と生まれた1つの物語がコンセプトになっていくのですから、コンセプトはあなたがしあわせを感じた思い出やあなたが体験したことの集合体なのです。わざわざこのような流れを作っているいちばん大きな理由は、腰を縄でしばるように、あなたとコンセプトを強く結びつけ、ひいてはコンセプトをあなた自身が「すきになる」ためなのですね。

再び、プライベートな話に戻ります。

Ｗｉｉが発売された２００６年の暮れ、私はＷｉｉを買って故郷の青森県八戸市へと帰省しました。従兄弟が集まるリビングルームのテレビにＷｉｉを設置して、みんなでＷｉｉ Ｓｐｏｒｔｓをして遊びました。祖母に遊んでもらうことはできませんでしたが、その様子をニコニコと見ていました。祖母の目線の先には、従兄弟一家がいます。今まで一度もゲームに興味を示すことなんてなかった、面白くてかっこいい体育会系の従兄弟が、ボーリング場のノリそのものでＷｉｉリモコンを振っています。

テンションの上がった子どもがハイタッチしようとして誤って従兄弟の目に指を入れてしまい、はしゃぎすぎた子どもを叱るゲンコツが飛びます。

その光景の真ん中に、Ｗｉｉがありました。

私は、涙を隠すのに必死でした。昔から運動音痴で、気弱で体育会系のノリになじむことができず、田舎に帰っても地元の友達と仲良くできないのではないか？　というコンプレックスを私は抱えていました。

高校で地元を離れた私の考えることなど、地元の人には響かないのではないか？　と自信を失ってしまっていたんですね。しかしＷｉｉは、そんな私の不安など差し置いて、みんなを楽しませてくれていました。

気づくと、私の中に巣食っていた田舎に対するコンプレックスは消え去っていました。


そのような体験を経た後、いつの間にか私の性格は変わっていたのです。

変わった……というより、正確に表現するなら「性格が増えた」という気がしています。Ｗｉｉリリース前の私には感じられなかった物事が、Ｗｉｉリリース後の私には、大きく感じられるようになったのです。

・植物や花の美しさが、心に染みて感じられるようになった。
・犬や猫など、動物のかわいさが愛おしく感じられるようになった。
・日本酒のおいしさが、しみじみとわかるようになった。

そんな脈絡もない変化が、私自身に起こりました。

とても奇妙な現象ですが、その変化の原因を、私はこう考えています。コンセプトワークの中で何度となくコンセプトの奥底におりていき、未知の良さを実現しようとあがく中で戦っていたのは、他の何者でもない私自身だったのではないだろうか、と。

私がコンセプトワークの間ずっと戦い続けていた「私自身」について、いくつか説明させてください。その「私自身」は、他社を圧倒する高いスペックを安価に作る技術や体力を持たないように思えた会社を呪ったこともありました。

ファミリーコンピュータが生まれた頃からゲームを遊び続けたゲームオタクでもある私は、コントローラーを変えてもらっては困ると憤慨したこともありました。ゲーム機の名前だって、Wiiなんてよくわからないものではなく、前の世代のゲーム機「ゲームキューブ」に「2」を付けるのがいちばんわかりやすいし丸く収まっているじゃないか、とこっそり考えたこともあります。

「ゲーム人口の拡大」というコンセプトは立派だけど、肝心なのは私自身が定時で家に帰ってゆっくりゲームで遊べることなんじゃないかと、本気で思うときがありました。そして何より、ゲーム人口の拡大という方針は、今までゲームを遊んでこなかった人たちを連れてきます。そういう人にはゲームの常識は通用しないので、いちいちゲームのイロハを伝えなければいけませんし、少しでもわかりにくいと怒られてしまいます。

新規のユーザーが、まるで足手まといの人たちのように見えている時期もありました。言い換えると、ゲームをしない人は、当時の僕から見れば「ゲームという楽しいものがせっかくあるのに、試しもしない愚かな人たち」と思えました。どれだけ仕事や家事が忙しかろうが、ゲームをやる時間ぐらいあるだろう？　と、私の心の中の薄暗い部分は言います。ゲームをしたがらない意固地で不器用な人たちのことを、どうしてわざわざ心の内側に取り込んで、想像までしなければならないんだろう？

それが、当時の僕のリアルでした。そんなふうに思うこと、そう思うに至った僕の性格こそが、僕の心の中に巣食う影の正体であり、コンセプトの奥底へとおりていった僕自身が戦った相手ではなかったかと、今ではそう考えています。ゲームが好きで、祖母を含めみんなにゲームを楽しんでほしいと願う僕と、ゲーム業界や他のユーザーや会社のことなど忘れて自己中心的になろうとする「僕の影」。心の奥底で何度となく対話し、コンセプトというものと自分の接点を探し続けていたように思います。

影との対話は、僕が僕自身を説得したり、僕自身から話を聞いたりするという、言葉にするとちょっと不気味にすら思える作業です。しかし、その結果として、僕は自分でも気がつかないうちに変わっていったようです。今となっては、もはや僕と僕の影のどちらが本当の自分だったのか、見分けがつかないぐらいです。認識できるのは、コンセプトワークによって僕は変わった、という実感だけです。

そこで思い至った仮説が、1つあります。

世界を変えようとしているコンセプトワーカーには、世界に加えようとしている変化と同じだけの変化が、相応の抗力として加えられているのではないか？　という仮説です。

コンセプトワークの前後で自分が変化した量を観察してみると、そのコンセプトワークの意義がわかる――というと大げさかもしれませんが、そんな実感が、たしかに私の中にはあるのです。もしあなたがコンセプトワークを通して自分自身の変化を感じているとき、それは掲げるに足るコンセプトに取り組んでいることになるのではないか？　と思うんです。

86ページで説明したものづくりの4つの原理のうち、「コンセプトワークするあなた」が司る原理は「かわる」ということだとお伝えしました。

ここまで述べてきた不思議な体験からいえるのは、「かわる」のは偶然ではなく、コンセプトワークをする人たち全員に起こる必然的な現象ではないか？　とすら思えます。

コンセプトは、「あなた」と「世界」の両方をつなぐものです。

だからこそ、あなたが「世界を変えよう」としていることと等しい量の変化を、コンセプトは「あなた自身」にも要求してくるのではないでしょうか。

あなたがコンセプトをもとにして「良いもの」を世界に届けたと仮定します。そのとき、製品やサービスを受け取ったユーザーは誰一人として、世界を良くしたのがあなただということを知らないかもしれません。しかし、それで良いと思います。

世界を変えた勇者に対して、世界は直接「勇者の心を変えること」で報いる。

こんな表現はロマンチックに過ぎるかもしれませんが、少なくとも私にはそう思えます。世界を良くするコンセプトを作ることによって得られる最高の報酬は、あなた自身の変化という目に見えない形で支払われる、と。

未知の良さを実現するには、あなた自身が、「未知のあなた」になる覚悟が必要です。

コンセプトによって、あなたはどんなふうに変わるのでしょう?

あなた自身が、未知のものになるかもしれないという不安に立ち向かうこと。それこそが勇者の矜持《きょうじ》ではないでしょうか。

最後に、今の私の骨肉となっている貴重な体験をさせていただいた任天堂株式会社の皆様、本書を書く機会をいただいたダイヤモンド社の和田史子様（行き詰まったとき、企画書に手書きで書き込まれた文字と言葉に、何度も励まされました）、本書のきっかけを作っていただいたのみならず、度重なる大きな方向転換にもかかわらず親身に相談に乗っていただいた株式会社スタジオビビの乙丸益伸様・武部広一様、そして私の無責任で非計画的なビジョンをいちばん最初に受け止めていただいた書評ブログ「俺と１００冊の成功本」の聖幸様に、深く深く感謝いたします。

そして本当の最後、私の祖母に、プライベートな感謝を捧げます。

玉樹真一郎

[著者]
玉樹真一郎（たまき・しんいちろう）
1977年生まれ。東京工業大学・北陸先端科学技術大学院大学卒。プログラマーとして任天堂に就職後、プランナーに転身。全世界で9500万台を売り上げた「Wii」の企画担当として、最も初期のコンセプトワークから、ハードウェア・ソフトウェア・ネットワークサービスの企画・開発すべてに横断的に関わり「Wiiのエバンジェリスト（伝道師）」「Wiiのプレゼンを最も数多くした男」と呼ばれる。
2010年任天堂を退社。青森県八戸市にUターンして独立・起業。「わかる事務所」を設立。コンサルティング、ホームページやアプリケーションの開発、講演やセミナー等を行いながら、人材育成・地域活性化にも取り組んでいる。

コンセプトのつくりかた
——「つくる」を考える方法

2012年8月2日　第1刷発行
2020年8月5日　第10刷発行

著　者——玉樹真一郎
発行所——ダイヤモンド社
〒150-8409　東京都渋谷区神宮前6-12-17
https://www.diamond.co.jp/
電話／03·5778·7236（編集）　03·5778·7240（販売）

カバーデザイン—石間淳
本文デザイン·DTP—橋本千鶴
イラスト——玉樹真一郎
製作進行——ダイヤモンド・グラフィック社
印刷————堀内印刷所（本文）・新藤慶昌堂（カバー）
製本————川島製本所
編集協力——株式会社スタジオビビ
編集担当——和田史子

ISBN 978-4-478-02239-9